JN122986

今、問い続けるということ

多文化共生への歴史理解

岩本裕子（ひろこ）

生きる力は「考える力」——まえがきにかえて

「歴史に学び、他者に学ぶ」とは、日本人初の国連難民高等弁務官として、世界の紛争地に赴き、難民の支援に取り組み続けた緒方貞子の言葉である。二〇一九年十月、九十二歳で亡くなった緒方を偲ぶTV番組『緒方貞子 今を生きるあなたへ』では、インタビューに答える緒方が後進に向けて発した言葉の数々が紹介されていた。

さらに彼女は、次のように語る。「常に先のことを考えて暮らしていかなきゃね。自分だけじゃなくて。人間が生きている限りは、いろんな試みを続けていくと思うんです。そのなかで日本も立派な、いろんな形で、いい考え方、いい試み、いろんな幸せというものを表に出して、みなさんを引っ張っていける人々と国であってほしい」と。

晩年の緒方は日本のことを、諸外国や他者への関心を失い「内向き化」の一途をたどっていると憂慮し続けていたという。日本が内向きであるのは、現在に限ったことではない。「世界と日本」という対立項で物事を考える教育が徹底されないまま、若者は自分の身近なことだけに関心を向けている。緒方の言う「歴史に学ぶ」とは、いわゆる世界の歴史、外国史である。日本の外国史教育の現状は、大学受験のためだけに機能している状態で、緒方の言う「歴史に学ぶ」ことを望むのは難しい。「歴史は暗記」と、受験生ばかりか総じて日本の一般の大人がそう考えている。「自分探し」をして生きる人間が、なかなか自分自身を理解できないとき、他者を「鏡」として自分の本質に気づくことがある。歴史を学ぶことと同じである。自国を理解するためには外国を知る必要がある。外国との相違点を通して、自国に気づくことになる。

二〇一八年春に新高等学校学習指導要領が発表され、二〇二二年度から始まる日本史・世界史探究という新しい高校歴史教育の具体像が示された。近現代の世界史と日本史を統合した「歴史総合」を新設、必修にするとのことである。「生きる力」と称された新高等学校学習指導要領において、「外国史」に相当する「歴史総合」でどのように具体化されるのだろう。日本の歴史教育は大きな転換点を迎える。「日本史」と「世界史」の統合と、暗記科目から考える科目へ、という二重の転換である。

本書は、筆者が一九九〇年以来三十年間大学の教壇で歴史を講義してきた「果実」である。まさに歴史は暗記ではなく、現在起こっている事実、いわゆるニュースの積み重ねである。現在のことを理解するためには、過去に立ち戻らなければならない。この三十年間に起こった地球の現状（環境問題、民族や宗教紛争、貧困問題など）、いわゆる目の前のニュースを手がかりに、なぜこのようなことが起きるのかを学生に問いかけ続けた。原因究明や解決方法模索のためには、歴史を学ぶ必要がある。「戦争の世紀」といわれた二十世紀から、平和を志向した二十一世紀初年に起こった「九月十一日」以来、合衆国ばかりか世界が変わったとされる。

一九九一年二月に第八代国連難民高等弁務官に就任した緒方貞子は、二〇〇〇年十二月三十一日に退任するまで、まさに二十世紀最後の十年間を世界中で起こる紛争から派生する難民問題に取り組んでいた。緒方がその人生をかけて、難民支援、世界平和を希求したことと比較もできないが、同時代に筆者は教壇で、難民問題を含む世界情勢を伝えて学生たちに「歴史に学ぶ」必要性を説いていた。

二十一世紀に入って以降二十年間の教壇生活も同様だった。平成生まれの学生たちが大学に入学したときに味わった「違和感」から、二十一世紀生まれの彼ら、彼女らが入学する現在、「異星人」を迎えた気分になることがある。学生たちはどんどん内向きになり、「自分のことしか考えられない」彼らに「気づき」を与えることがまるで「使命」のように仕事を重ねてきた。

幼児期から英語教育を公私ともに受けてきた彼らが、ほとんど英語で意思疎通できないばかりか、英語に恐怖心さえもっている。現在の日本の若者が「変化の激しいこれからの社会」で生きる力を身につけるには、語学力同様、外国史を理解する力が必要である。「生きる力」を身につけ、国際社会で主体的に生きるためには、自らの資質を養うことは必須であり、そのために外国史学習は欠かせない。

単に若者だけではなく、日本に暮らす大人たちも、外国と無縁では暮らせなくなっている。日本人の生活そのものが、アジアを中心とする外国人を迎えずには成り立たなくなっている。さらに東京での二度目のオリンピック開催を契機に、身近に世界中から外国人を迎えることになる。彼らの母語を話せなくても、英語さえ使うことができれば意思疎通は叶う。さらに外国史や外国文化への理解があれば、彼らの文化も受け入れる寛容性をもつことができる。

外国史学習は、単に若者だけではなく、世代を超えて日本人すべてに求められる課題かもしれない。他者を理解するために、意思疎通の道具である英語を学び、外国史を学ぶ。他者を見つめると、彼らのなかに思いがけない自分を発見することも可能になるだろう。人間は、いくつになっても「自分探し」をしながら生きている。

まずは「自己理解から始める他者理解」の第一部に入ってみよう！

今、問い続けるということ　目次

● 第四章　オリンピックの歴史から世界を学ぶ

★ almanac

第二部

弱者から知る現代社会

第四章　環境破壊防止のゆくえ

almanac

第四部 日本から発信すべきこと 193

第一部

自己理解から始める他者理解

「単一民族」国家など存在しないこの世界で、国籍を問わず（在日、外国人含め）日本に暮らす我々が、どのように自己理解を深めていくのか、自分探しを続けていくのかを考えたい。他者理解を通して自らを見つめる反面、多文化の一つである日本文化を鏡にすると、他者の見方も変わってくるだろう。「今」を問い続けることで自らの足もとを見すえて、多文化が共生していく意味を確認していきたい。

第一章

日本の文化基盤

令和の「今」は、そのいわれとなる時代からつながっている

第一節

古事記・日本書紀・万葉集

日本がアジアの一部だと自覚する日本人はどのくらいいるだろうか。欧米化が進んだ日本に生まれ育った平成生まれの若者たちは、アジア人としての誇りをもって暮らしているだろうか。

「脱亜入欧」つまりアジアから脱して、欧米諸国に仲間入りすることをめざすという意味である。日清戦争（一九一四〜一八）前後のアジア観の一つとされた表現で、一八八五年（明治十八年）福沢諭吉による「脱亜論」が代表的だった。福沢の意図は、「西洋最新の文明を基礎とした列強勢力の世界への侵出は，阻止しえない必然性をもつ」ということだったようだが、アジアを劣勢、欧米を優勢と考え、西

洋文明を模倣することをもってよしとする風潮があったことは否定できない。
　西暦で物を考えることが通常となった日本人の暮らしで、元号改正はともすると「お祭り騒ぎ」でしかなかったかもしれない。西暦二〇一九年四月三十日は、三十年余り続いた平成最終日、翌五月一日から令和[★1]の時代が始まった。昭和天皇の崩御に伴う平成の始まりとは全く異なる、まるで「年越し」のようなお祭り騒ぎとなった日本だった。

　我々国民は、明仁天皇から徳仁天皇に受け継がれる「三種の神器」の受け渡し「剣璽等承継の儀」を目撃できた。天皇が皇位の璽(しるし)として代々伝えた三種の宝物、つまり八咫鏡(やたのかがみ)、草薙剣(くさなぎのつるぎ)、八坂瓊曲玉(やさかにのまがたま)のうち、二種の受け渡しであった。
『古事記』および『日本書紀』（合わせて『記紀』）の伝承によれば、草薙剣は天照大神(あまてらすおおみかみ)の弟、素戔嗚尊(すさのおのみこと)が出雲国の上流に棲む八岐大蛇(やまたのおろち)を退治した際、大蛇の尾から出たとされる剣で、天叢雲剣(あめのむらくものつるぎ)の別称である。『吾妻鏡』によれば、壇ノ浦の合戦で第八十一代天皇だった幼少の安徳天皇とともに草薙剣は海に没したとされた。

　天照大神は日本神話では主神とされる女神で、皇室の始まりとされる。明仁天皇の生前退位による令和時代の始まりを明るく積極的に迎えた日本国民は、こうした『記紀』を読み直す機会を迎えてもいる。さらに、「令和」という元号の出典とされる『万葉集』は、「史実の告発という恐ろしい側面を秘めた歌集」として、「『記紀』の記述を補う史書としての役割を果たしている」と解釈する研究者もいるほどである。[★2]

★1　令和の出典となった万葉集の一節は太宰府の「梅花の宴」で詠まれた三十二首の序文。ゆかりの地として脚光を浴びる坂本八幡宮にて（著者撮影）。

★2　小林惠子『本当は恐ろしい万葉集／歌が告発する血塗られた古代史』三〇六頁（祥伝社黄金文庫、二〇〇七年）

「令和」の由来は、「梅花の宴 初春の令月にして 気淑く風和ぎ 梅は鏡前の粉を披く、蘭は珮後の香を薫らす」という大伴旅人が詠んだ歌とされている。「人々が美しく心を寄せ合うなかで、文化が生まれ育つ。梅の花のように、日本人が明日への希望を咲かせる国でありますように」という意味だという。その名の通り、「明日への希望」が咲くことを念じて止まない。

平成を改元して令和と公表された二〇一九年四月一日、年号決定の出典とされた『万葉集』に注目が集まった。「『記紀』の記述を補う史書」とも解釈されるこの歌集は、奈良時代、八世紀の中後半期に企画された。四千五百以上の歌を網羅し、奈良時代末期に編纂された日本最古の歌集である。後世の歌集とは性格が異なる。「単に著名な歌人による秀歌を集めたものではなく、『記紀』成立以後の奈良時代の政治実体と、正史に留められない隠された史実が反映された歌集」という解釈もある。★1

ここでいう（為政者側からの）正史とされる『古事記』および『日本書紀』には何が残されているのか。日本の誕生から書き起こされ、八百万の神々が神秘的なドラマを展開し、神の子孫である人間が登場して、単なる神話から歴史へと移行していく。二書が編纂された背景には、七～八世紀における日本国家の成立という歴史的事実がある。天皇家が自らの統治の正当性を説明するためでもあった。

『古事記』は七一二年に成立した全三巻、『日本書紀』はその八年後の七二〇年に成立した全三十巻の書物である。『古事記』は稗田阿礼が語り伝えた『帝紀』『旧辞』

★1 小林惠子『本当は恐ろしい万葉集／歌が告発する血塗られた古代史』五頁（祥伝社黄金文庫、二〇〇七年）

を、当時の優れた学者、太安万侶（おおのやすまろ）が筆録して和銅五年正月に、元明天皇に奉ったとされている。「国内向けに天皇家の歴史を残した書」つまり、天皇家の正当性を国内で誇示するために日本語重視文体で書かれたと言える。

他方『日本書紀』は、天武天皇の治世に天皇の命を受けた十二名によって編纂され、三十九年後に舎人親王（とねりしんのう）が奏上したとされる。漢文記述や編年体の体裁から、海外つまり中国王朝に対して自国の正史を伝える目的で編纂された。日本国内の歴史に留まらず、史料として中国や朝鮮の史書、諸誌や地方の伝承、政府の記録など多岐にわたり、その量も三十巻にも及び、完成直後から朝廷では初の正史として尊重されたのだった。★2

第二節　遣隋使から日中国交回復まで

日本が「元号」を用い始めたのは、「大化の改新」のときからで、最初の元号は「大化」だった。当時の中国（隋から唐）の国家システムを取り入れた先進国になろうとする急進派による改革だった。中国発祥の律令国家制度を取り入れることで「独立した文明国家」だと示そうとした。従来、日本の元号名に選んできた名称の多く

★2　坂本勝監修『図説地図とあらすじでわかる！古事記と日本書紀』（青春新書、二〇〇九年）

松本清張『日本書紀をよむ』（岩波ブックレットNO.200、一九九一年）

は、起源を中国の文書としてきた。

七〇一年施行とされる「大宝律令」で知られる「大宝」の年号以降、律令制がほぼ完成し、「大宝」以降元号は絶えることなく千三百年を越えて、現代に続いてきたのだった。日本が文明国家として、当時の「世界」である韓国や中国に対応できる国家となろうとしたのだった。

聖徳太子が摂政のときに日本から随（五八一〜六一八）に、六〇〇年から十四年間に六回に及ぶ遣隋使が送られた。そのまま遣唐使に継承されて、日本は中国からの文化を受け入れ、模範としてきた。そもそも二千年を超える中国との交渉は、弥生文化の稲作にまでさかのぼる。

一九四九年十月、中国内戦の結果、共産党の勝利で中華人民共和国が成立したが、日本はアメリカ合衆国に追随してそれを承認せず、台湾の中華民国政府を中国の正当な政権とした。一九五〇年六月、朝鮮戦争勃発で、合衆国は日本を西側陣営に組み込むため、戦後日本の連合国との講和会議、サンフランシスコ講和会議を一九五一年に召集した。一九五二年四月、GHQ占領下にあった日本は、サンフランシスコ講和条約発効で独立を回復したと同時に、日米安全保障条約が締結され、一方翌年には日本は台湾政府との間で日華平和条約を締結、中国共産党政権下の中華人民共和国とは国交のない状態となった。

「日中国交回復」つまり日本が中国と正常な国交関係を樹立したのは、講和条約から二十年後の一九七二年、田中角栄首相によって「日中共同声明」が出された。これにより、日本国と中華人民共和国が国交を結んだのだった。遣隋使以来、日本文化の基盤作りに多大な影響を与えてきた中国と、再び国交を回復したのだった。

外務省公式HPの「歴史問題Q&A」[★1]項目のアジア部門で、日本政府の歴史認識が示され、アジア諸国への謝罪や賠償の状況についての説明がある。「我が国は、関係国との間でサンフランシスコ平和条約、二国間の平和条約等を締結し、それらに従って賠償の支払い等を誠実に行ってきた」と記述している。[★2]

第三節 日本と朝鮮半島との関係

二〇一五年、終戦七十年目は日韓国交正常化五十年の節目でもあった。この時点で「最悪」と言われた日韓関係だったが、その後改善されることもなく、悪化の一途をたどっている。この日韓関係を解く鍵は、従軍慰安婦問題とされてきたが、二〇一八年以降さらなる元徴用工問題まで表面化してきた。このことは第四部「日本からの発信」で改めて議論する。

前節では千四百年近い日中関係を概観したが、本節で対象とする韓国は、「たっ

★1 https://www.mofa.go.jp/mofaj/area/taisen/qa/index.html

★2 このことは第四部第一章、第二次世界大戦の「精算」の議論に続く。

た今」が問題になっているので、二〇一九年夏時点の状況を確認して、日本と朝鮮半島との関係をまとめておきたい。同年七月十九日の『朝日新聞』「時々刻々」の見出しは、「日韓対立長期化の様相」として、二〇一八年十月の元徴用工をめぐる韓国最高裁、大法院の判決以降の動きをまとめている。九月を迎えて、法相候補の大統領側近をめぐる疑惑をめぐって韓国国内そのものが混乱している。若い世代を含む国民が自国を憂いながらデモ行進する様子が伝えられる。

香港でも同様に若い世代のデモ行進が二〇一九年七月以来二ヵ月以上続いている。こちらの発端は七月一日、百五十年以上イギリスの植民地だった香港が、返還されて二十二年目を記念する式典最中に立法会近くで勃発した。この抗議活動は表面上、犯罪容疑者の中国本土への引き渡しを認める「逃亡犯条例」の改正案に反対するものだった。香港島は一八四二年のアヘン戦争後にイギリス領となり、イギリスは当時の清朝政府から「新界」と呼ばれる残りの地域を九十九年間租借した。

返還期限が迫った一九八〇年代前半、イギリスと中国政府は香港の将来について協議し、両国は一九八四年に、「一国二制度」の下に香港が一九九七年に中国に返還されることで合意した。返還後の香港は、香港特別行政区となり、独自の法制度や国境を有するほか、表現の自由などの権利も保障されてきた。こうした香港で、若い世代は自らを「香港人」と称して、自らの権利を守ろうとしている。

こうした韓国や香港の若者を中心とした民衆の動きを見るたびに、筆者は羨ましくなる。自らの足もとを見つめながら、国家に対して異議申し立てをして行動する若者がいることが頼もしく、羨ましく思えるのだった。二〇一九年九月の日本は、決して安心して暮らせる状況ではないにもかかわらず、危機感をもって行動を起こす若者がどのくらいいるだろうか。

議論を韓国に限定して、まず「ホワイト国」問題から見ていこう。ホワイトとは何か？　日本語になってしまった「ブラック企業」を考えると理解しやすいだろう。「ブラックではない」から「ホワイト」となる。ホワイト国とは「武器転用できる製品や技術の輸出先として、安全保障上の問題がないと日本が認めた国」で「最大三年間まとめて輸出許可がとれる優遇措置」がある。信頼のおける国との間では手続きを簡単にしてスムーズに輸出入できるようにするという「ホワイト国リスト」は二十七ヵ国あった。このリストから韓国を除外する政令改正を二〇一九年八月二日午前の閣議で決めたのだった。日韓の対立は一段と深刻な事態に陥った。この政府の対応、両国の外相同士の対立などが伝えられ、合衆国の仲裁も効果はないようである。こうした輸出規制、いわゆる経済制裁をした契機が元徴用工問題であることは間違いない。

朝鮮半島にある二国は、もともと一つの国だったことを日本の若者は理解しているだろうか。「韓流好き」と呼ばれる世代であっても、韓国の音楽グループのファンである若者でも、どこまで現実を受け止めているのだろうか。筆者が講義で、韓国には徴兵制が敷かれていて、たとえ著名な芸能人でも徴兵されることを話すと、

「なるほど」と頷いている。

日本が憲法改正によって戦争ができる国になった場合、戦地に赴くのが「自衛隊」に限定できなくなると徴兵制度が復活するという説明をする講義では、韓国のことを例に出す。朝鮮半島最後の専制君主国だった大韓帝国は、一九〇四年の日露戦争終結翌年のポーツマス条約で日本の保護国となった。そのまま一九一〇年八月二十九日の大日本帝国の「韓国併合」によって、大韓帝国は滅亡したのだった。一九四五年九月九日の朝鮮総督府による対連合国降伏まで、三十五年間は大日本帝国の支配が続いた。★1

第二次世界大戦後の朝鮮半島では、一九四八年に成立したばかりの朝鮮民族の分断国家である大韓民国（韓国）と朝鮮民主主義人民共和国（北朝鮮）の間で主権争いが生じた。大韓帝国という一つの国の同じ民族による主権争いは、一九五〇年に北朝鮮が事実上の国境線だった三八度線を越えて韓国に侵略したことで勃発した。これが朝鮮戦争である。

分断国家朝鮮の両当事国だけでなく、東西冷戦が絡んで国連軍と中国人民志願軍がそれぞれ交戦勢力として参戦したため、三年間に及び朝鮮半島全土を戦場とした。一九五三年七月に、国連軍と中朝連合軍は朝鮮戦争休戦協定に署名して休戦に至った。決して「終戦」したわけではないことが、今日までの問題を引き起こしている。北緯三八度線付近の休戦時の前線が「軍事境界線」となり、板門店（はんもんてん）と呼ばれている。

★1 一九三六年ベルリン・オリンピックのマラソンで、日本は金と銅の二つのメダルを獲得した。金メダリストは孫基禎、銅メダリストは南昇竜という名前の朝鮮半島出身の選手であった。胸に日の丸を付けて走った彼らの思いは複雑だったに違いない。第一部第四章第三節「アメリカ黒人から知るオリンピック」六三頁でも言及する。

二〇一八年四月二十七日に板門店で南北首脳会談が開かれ、年内の終戦をめざして停戦協定を平和協定に転換するとした「板門店宣言」が発表されたが、結局実現されてはいない。二〇一九年七月一日、トランプ大統領による事前予告もない突然の板門店訪問で、世界中が「軍事境界線」を目撃したのだった。ただ、北朝鮮と合衆国との間に平和条約は締結されず、緊張状態のままの訪問であった。朝鮮半島の二国、さらに合衆国も加わって、間に入る日本の「良識」が問われるところだが、見通しは暗いとしか言えない。

第四節　宗教的視点から見る日本の世界遺産

二〇一九年七月六日に、大阪府の「百舌鳥（もず）・古市古墳群（ふるいちこふんぐん）」がユネスコの世界文化遺産に登録された。世界最大級墳墓の「仁徳天皇陵古墳」を含む四十四基もある古墳群である。この登録で、日本国内の世界遺産は文化遺産が十九件、自然遺産が四件で合計二十三件となった。本節では、特に宗教の視点からまとめておきたい。

第二章で議論する欧米の文化基盤では、宗教の視点を欠くことはできない。ところが日本では、「宗教」そのもののとらえ方が、欧米とは大きく異なる。次節の夕イトルにあるように「多神教文化」である日本で、宗教とは日本仏教と神道、修験道の三種となる。京都や奈良、日光、平泉の仏閣に見られる日本仏教、京都や奈良の神社だけでなく厳島神社では神道、「紀伊山地の霊場と参詣道」では、日本仏教、神道に加えて修験道が、世界遺産の対象となってきた。

ここでは、次章との関連で、日本人とキリスト教の関係を見ておきたい。

二〇一八年、二十二件目として登録されたのは、同じ宗教でもキリスト教だった。「長崎と天草地方の潜伏キリシタン関連遺産」★1である。江戸幕府がキリスト教を禁じた十七〜十九世紀に、伝統的な宗教や社会と共生しながら、ひそかに信仰を守り続けた「潜伏キリシタン」が育んだ独特の文化的伝統を示す遺産群を意味する。

ユネスコ（国連教育科学文化機関）の世界遺産委員会は、禁教が本格化するきっかけとなった島原・天草一揆の舞台だった原城跡や、信仰を集めた離島も含む集落や集落跡、潜伏キリシタンが宣教師に信仰を告白した大浦天主堂など、十二の構成資産すべてに「顕著な普遍的価値がある」と認めたのだった。同遺産をめぐっては、二〇一五年に政府が「長崎の教会群とキリスト教関連遺産」として推薦書を提出したが、ユネスコの諮問機関「国際記念物遺跡会議（イコモス）」から、禁教期に焦点を当てるべきだと指摘された。政府はいったん推薦を取り下げ、禁教期と関係が薄い二資産を除いて練り直し、推薦書を再提出して二〇一八年に認められたのだった。

二〇一五年七月に筆者は、長崎にある活水女子大学から講演を依頼され赴いた。

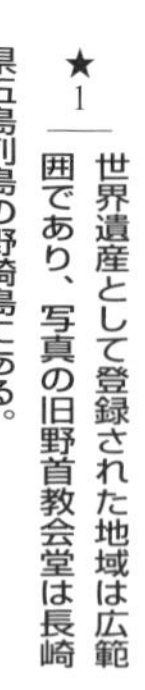
★1 世界遺産として登録された地域は広範囲であり、写真の旧野首教会堂は長崎県五島列島の野崎島にある。

午後の講演前に、大浦天主堂を訪れたとき「信徒発見百五十周年」のことを知った。受付で冊子[★2]もいただいた。信徒発見とは次のようなことだった。まだ禁教令下だった一八六五年三月十七日の正午過ぎ、当時地元では「フランス寺」と呼ばれていた大浦天主堂を大勢の見物人が訪れた。見物人に紛れて、浦上の潜伏キリシタンたちもやって来ていた。聖堂内で祈るプティジャン神父に近づき、「ワタシノムネ、アナタトオナジ」つまり「私たちもあなたと同じ信仰をもっています」とささやいて信仰を告白したのだった。この出来事は、日本だけでなく世界のキリスト教史においても奇跡と称されている。

豊臣秀吉以降、徳川幕府のキリスト教禁教令、さらに一六三九年の鎖国令によって、宣教師たちはすでに追放されていた。幕府のキリシタンに対する迫害や拷問が続き、残酷さが増すばかりで、宣教師たちは来日できなくなっていた。その間、実に七世代、二百五十年もの長い間、表面は仏教徒を装いながらもキリスト教への熱い信仰心をもって、代々伝え聞いた信仰を守り通してきた「潜伏キリシタン」の存在が明らかになったのだった。長崎では数万人のキリスト教信者が公の場に出て、教会は再び栄えることになった。「日本のキリスト教共同体は、隠れていたにもかかわらず、強い共同体的精神を保った」ことを、二〇一六年三月にフランシス教皇(Pope Francis)は、讃えたのだった。

「潜伏キリシタン」を描いた遠藤周作の小説『沈黙』が、マーティン・スコセッ

★2　二〇一五年に筆者が長崎の大浦天主堂を訪れた際に受付で渡された小さなパンフレット。

シ監督によって映画化された。[★1] 幼い頃神父になりたかったというカトリック教徒の監督は、長年の思いをこの映画に込めたようである。「潜伏キリシタン」は仏教徒を装いながら、キリスト教徒であり続けたその精神的強さが、スコセッシ監督には「脅威」でもあり、畏敬の念をもち続けて映画化を切望したのだった。

一六四〇年に日本で布教活動をしていたイエズス会宣教師フェレイラが、激しいキリシタン弾圧に屈して「棄教」したことを知ったフェレイラ神父の弟子、セバスチャン・ロドリゴ神父がその真偽を確かめるために日本にやってくる場面から映画は始まる。そのロドリゴ神父も、結局、自分を慕う信者たちがひどい弾圧を受けることを正視できずに、「棄教」して「岡田三右衛門」として、恩師同様に日本人としての生き方を選んだのだった。ただ、死後棺桶に入れられたロドリゴは、かつて長崎の信者からもらった手作りの十字架を手にし、彼が決して棄教していなかったことが知らされる。観客は、その場面で安堵すると同時に、キリスト教信仰の強さに圧倒されるだろう。

長崎市外海（そとめ）の遠藤周作文学館近くの「出津文化村」には、海を見下ろす場所に文学碑が建立されている。[★2] その石碑には、『沈黙』でロドリゴがつぶやいた「人間がこんなに哀しいのに、主よ、海があまりにも碧いのです」と刻まれている。映画で最も圧巻だった水磔刑の場面では、「主よ、あなたはなぜ黙ったままなのですか」と問わずにはいられず、長崎の潜伏キリシタンの人々の心の強さに絶句するしかないだろう。

★1 『沈黙』（二〇一七年）監督／マーティン・スコセッシ（ソニー・ピクチャーズエンタテインメント）

★2 海を見下ろす出津文化村にある遠藤周作の文学碑（著者撮影）。

第二章

欧米の文化基盤

同じ神を信じるがゆえに反目する兄弟宗教

第一節

多神教文化の日本で一神教を学ぶ

二〇〇〇年当時の森喜朗[★3]総理大臣が、神道政治連盟国会議員懇談会において「日本は天皇を中心とした神の国である」と発言したことで、「神の国発言」と揶揄された。それから半世紀前の太平洋戦争中には「神風特別攻撃隊」と名付けられた、大日本帝国海軍によって編成された爆装航空機による体当たり攻撃部隊があった。何千という日本の若者が天皇の名の下で死ぬのを承知で志願したと言われる。その名称にある「神風」とは、十三世紀後半の鎌倉時代に、二度にわたる蒙古襲来（元寇）が、神風によって蒙古軍船を壊滅したことに由来している。

「神の国」で『ブリタニカ国際大百科事典』を引くと、『マルコによる福音書』第一

★3 二〇二〇年東京オリンピック・パラリンピック競技大会 組織委員会会長。

章に「時は満ちた、神の国は近づいた。悔い改めて福音を信ぜよ」というイエスの最初の宣教の言葉が記されている。ユダヤ民族が信じていた終末観にも通じる「神の国」という発想が、日本では「天皇を中心とする」と変化するのである。

何をもって「神」とするかは別にしても、日本では「八百万（やおよろず）」の神を敬い、守られていると信じるのが大半の日本人だろう。初詣では何ヵ所も神社仏閣にお参りしたり、赤ちゃんが生まれると神社へお宮参り、結婚式はウエディングドレスを着たいから教会、祖父母が亡くなると寺で葬儀、など固定の信仰があるとは思えない変化を受け入れるのが、多くの日本人の習性なのだろう。これを多神教と表現するならば、特定の信仰をもたないだけで、無神論ではなく神々への畏敬の念はもっているということになるだろう。

こうした多神教文化をもつ日本が、どのようにすれば一神教の信者を理解できるのだろうか。心情と言うよりは、知識による理解、他者を受け入れる素地を自ら身につけるためには知識しかないだろう。その知識を次節以降で整理していく。

第二節 旧約聖書 兄弟宗教に共通する「神」

日本の報道では「米国同時多発テロ事件」と呼ばれる、二〇〇一年九月十一日（以下「九月十一日」）直後、世界の関心は事件の犯人グループが信仰したイスラム教に集中した。イスラム教は、キリスト教および仏教とともに世界三大宗教とされるが、その理由は信じようとする人々に対して広く門戸を開き、新たな信者を受け入れようとするからだった。他者を寄せ付けない排他的なヒンズー教やユダヤ教との大きな相違点である。

排他的で選民思想とも言えるユダヤ教は、ヤハウェ（ヘブライ語で「神」）のみを唯一神と信じる宗教である。ユダヤ暦三七六一年（キリスト紀元始まりの年で、正確なキリスト誕生年ではない）に生まれた「神の子」イエスによって始められたキリスト教を兄弟宗教とした。ともに同じ「神」を信じた。さらに西暦（キリスト教暦）六一〇年頃に唯一神であるアッラー（アラビア語で「神」の意味）の啓示を受けたムハンマドよってイスラム教が開祖された。

このようにして、三つの宗教は兄弟宗教として同じ神を信じたのだった。「骨肉相食む」関係にあることは、二十一世紀になっても変わらない不安定な中東情勢を見れば明らかである。ユダヤ人の歴史が語られる旧約聖書は、キリスト教とイスラム教にとっての聖典であること以上に、ユダヤ（イスラエル）人にとっては唯一の正典である。古代ヘブライ語で書かれているため「ヘブライ語聖書」と呼ばれることもある。『新共同訳聖書』で一五〇〇頁に及ぶ大部の書物で、紀元前一〇〇〇年から二〇〇〇年頃までの間に書かれ、内容的にもさまざまな文書が収められている。旧約聖書は第一部「律法書」（トーラー）、第二部「預言書」（ネビイーム）と第三部の詩編や歴代誌を含む「諸書」（ケスビーム）で構成される。★1 律法書の冒頭にあるのが「創世記」（Genesis）である。神が天地を創造し、イスラエル人がエジプトで生活するまでの物語が書かれている。

ハリウッドは、旧約聖書の映画化を繰り返し試みてきた。一九六六年制作の邦題『天地創造』★2は旧約聖書すべてを描くという無謀な企画は叶わず、創世記第一章天地創造から二十二章イサクの生け贄までが描かれた。ＤＶＤのカバー写真ではアブラハムがイサクを抱えて神に捧げている。

二十一世紀に入って旧約聖書を題材とした映画が次々公開された。『ノアの箱舟』★3と『エクソダス：神と王』★4は、その代表だろう。預言者モーセは、ハリウッド映画が大好きなテーマらしく映画化は数知れない。講義で教材に使うのは『十戒』★5と『プリンス・オブ・エジプト』★6だったが、先の一作『エクソダス』が加わった。

シナイ半島につながる紅海が割れる場面は、三本の映画ともに見せ場となるが、子どもの頃『十戒』を見てその場面に圧倒された筆者は、大学生の頃（一九七〇年代）ハリウッドスタジオツアーでその仕掛けを見て、あまりのお粗末さに絶句した。ＣＧ技術に慣れてしまった現在、あの設備を見ると「郷愁」すら覚えると思う。

『プリンス・オブ・エジプト』は、ユダヤ人のスピルバーグ監督による自らの

★1 大島力『旧約聖書入門（上）』ＮＨＫラジオ「こころをよむ」（1999.4-1999.6）p.4-5, 8

★2 "The Bible : in the Beginning"（一九六六年）

★3 "Noah"（二〇一四年）

★4 "Exodus: Gods and Kings"（二〇一四年）

★5 "The Ten Commandments"（一九五六年）邦題『十戒』監督／セシル・B・デミル

★6 "The Prince of Egypt"（二〇一四年）

出自への敬意を映像にしたアニメーションで、紅海の場面がクライマックスとなっていた。新作『エクソダス』では、紅海が割れるのは潮の満ち引きと関係した自然現象としていた。

第三節　世界宗教ではないユダヤ教

ユダヤ教、キリスト教、イスラム教という兄弟宗教は、唯一無二の「神」との契約によって成り立つ宗教である。まだユダヤ教だけだったとき、神は預言者モーセに「十戒」を渡した。旧約聖書「出エジプト記」二十章三節〜十七節、「申命記」五章七節〜二十一節に書かれている。ユダヤの民を連れてエジプトを出たモーセが、紅海を渡った後シナイ山で、神から授かったのだった。戒律十項目で、以下の通りである。

一、ヤハウェ以外のものを神としない
二、主なる神の名をみだりに呼ばない
三、安息日を記憶してこれを聖とすること、また他人に対する愛について
四、父母を敬うこと

五、殺さないこと
六、姦淫しないこと
七、盗まないこと
八、偽証しないこと
九、他人の妻を恋慕しないこと
十、他人の所有物を貪らないこと

二〇一七年五月、中東歴訪中のトランプ大統領[★1]は、米国の現職大統領として初めて、エルサレム旧市街にあるユダヤ教の聖地「嘆きの壁[★2]」を訪問した。ユダヤ教徒の帽子ヤムルカを着けたトランプ大統領は、嘆きの壁に右手を当て、身体をかすかに前後に揺すりながら一分近く目を閉じていた。続いてポケットから折り畳んだ紙片を取り出すと、壁の割れ目に置いた。トランプ訪問には、義理の息子でユダヤ系のクシュナー上級顧問と、ユダヤ教指導者のラビノビッチ師が同行した。

義理の息子とは娘イヴァンカの夫のことである。トランプは三回の結婚を経て、五人の子どもがいる。最初の妻イヴァーナとの間に二男一女、二番目マーラには一女、現在三番目の妻メラニアとの間に息子がいる。イヴァーナはチェコスロバキアからの移民で、娘にはロシア系の名前を付けた。イヴァンカとは、ロシア人を指すイワンの女性形で、イワン雷帝で知られる。日本で言えば「太郎」、女性だから「花

★1 トランプ当選が決まった二〇一六年十一月初旬に、増補新版（二〇〇二年初版）出版を決めた新書館から依頼されて「ブッシュ（息子）」「オバマ」「トランプ」という三人の大統領の原稿を書いた。以下も参照されたい。猿谷要編『増補新版アメリカ大統領物語』（新書館、二〇一七年）、拙稿「トランプ」一九六～二〇一頁。

★2 ヘロデ大王時代のエルサレム神殿の外壁が一部現存する「嘆きの壁」。

子」にあたるだろう。
このイヴァンカの夫は、ユダヤ人実業家で、イヴァンカ自身も父の信仰プロテスタントの長老派からユダヤ教に改宗したと言われる。イヴァンカはトランプの中核会社の副社長で、長男も次男もトランプ企業に勤めているが、トランプからの信頼が一番厚いのはイヴァンカのようで、大統領就任翌年のエルサレム訪問となった。

国際社会はエルサレムをイスラエルの首都とは認めていない。パレスチナなど国際社会の大半は、旧市街のある東エルサレムが将来のパレスチナ国家の首都になると考えている。トランプは大統領選挙中に、エルサレムをイスラエルの首都として認め、米大使館をテルアビブからエルサレムに移すと公約していた。

ヘブライ語とアラビア語で「平和」の意味をもつ「エルサレム」を、三兄弟が「聖地」として取り合う理由は、三つの宗教にとって神聖な場所、まさに「聖地」をそれぞれにもっているためだった。

まず、ユダヤ教徒は自らの神殿が、紀元一世紀にローマ帝国によって破壊された。その場所には「壁」が残り、ダビデ王[★3]、ソロモン王時代の栄華を偲び、嘆く場所として「嘆きの壁」と呼んでいる。現職アメリカ大統領で唯一トランプが訪れた場所だった。

キリスト教徒にとっては、イエスが十字架を背負って歩いたという長さ五百メートルの悲しみの道の先に聖墳墓教会[★4]がある。悲しみの道の途中には、イエスが十字

★3 ミケランジェロ作「ダビデ像」

★4 エルサレム旧市街にあるキリストの墓とされる場所に建つ聖墳墓教会。

架の重みに耐えかねて手を付いたとされる場所も残っている。聖書の世界そのものの空間で、イエスの死後三百年後に、この地で十字架が発見され、イエスの十字架だと信じた人々が、ここに教会を建てたのが聖墳墓教会である。イエスが十字架にかけられて処刑されたゴルゴダの丘は、この教会の中にある。ゴルゴダの丘の所有権をめぐってローマカトリックとギリシア正教が対立し、祭壇も別々に二つある。

三つ目のイスラム教徒がこの地を聖地とする理由はこうである。神の啓示を受けイスラム教を開祖したムハンマドは、メディナで亡くなるが、その遺体を神の使い大天使ガブリエル★1が聖地エルサレムへ搬送したと言われる。金色の円屋根が輝くイスラム礼拝所の岩のドーム★2は、メッカと並ぶイスラム教徒の聖地で、ムハンマドがここの岩から天馬ブラークに乗って昇天し、アラーの神の御前に至り、また下りてきたと伝えられる。

モスクは六九一年に建てられた。この岩を守るために、岩のドームが造られ、保護するようになった。ムハンマドの誕生地メッカ、墓のあるメディナに次ぐイスラム教徒の第三の聖地がエルサレムの岩のドームなのである。中世の十字軍に代表されるように、三兄弟宗教がそれぞれにエルサレムを取り合う理由は以上である。

★1　大天使ガブリエルは、聖母マリアに「受胎告知」もした。左はダビンチが「受胎告知」に描いたガブリエル。

★2　岩のドームは、イスラム教徒にとって聖なる岩を祀った神殿。

第三章

精神構造に定着する西欧文化

欧米の文化的基盤＝精神性につながる物語性

第一節

ギリシャ神話 オリンポス十二神

ギリシャ神話が文学的記録として残る最古は、古代ギリシャの詩人ホメロス[★3]の叙事詩『イリアス』『オデュセイア』だろう。少し遅れて詩人ヘシオドスの『労働と日々』『神統記（テオゴニア）』に神々の系譜が語られてきた。ギリシャの神々にまつわる、まさに「神話」は西洋世界の母胎であり、西洋理解に欠かすことのできない重要な視点である。

「カオス」から次々と新しい神が生まれ、やがてゼウス[★4]を中心とするオリンポスの神々へと展開されていく。オリンポス十二神とは、クロノス（Kronos, Saturn →土星）を中心とするティタン神族との戦いに勝利をおさめた後、ギリ

★3　英語名 Homer：B.C.9–8C

★4　ギリシャ名 Zeus，英語名 Jupiter。ギリシャ神話の神々については、次頁に一覧にまとめた。

【ギリシャの神々】

※名前はギリシャ名・ラテン名(ローマ神話)・英語名の順。
(①〜⑫＝本文中の記載番号：オリンポス12神)

①ゼウス [Zeus] ユピテル [Jupiter] ジュピター [Jupiter]	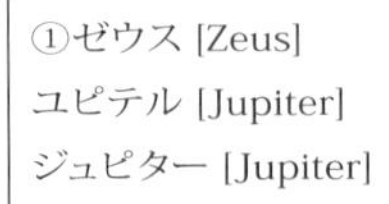 
②ヘスティア [Hestia] ウェスタ [Vesta] ヴェスタ [Vesta]	
③デメテル [Demeter] ケレス [Ceres] セリーズ [Ceres]	
④ポセイドン [Poseidon] ネプトゥヌス [Neptunus] ネプテューン [Neptune]	
⑤ヘラ [Hera] (ゼウスの妻) ユノ [Juno] ジューノー [Juno]	
⑥アポロン [Apollon] アポロ [Apollo] アポロ [Apollo]	
⑦アルテミス [Artemis] ディアナ [Diana] ダイアナ [Diana]	
⑧ヘルメス [Hermes] メルクリウス [Mercurius] マーキュリー [Mercury]	
⑨ディオニソス [Dionysos] リベル [Liber] ダイアナイサス [Dionysus]	
⑩アテナ [Athena] (ゼウスの娘) ミネルヴァ [Minerva] ミネルヴァ [Minerva]	
⑪ヘパイストス [Hephaistos] ウルカヌス [Vulcanus] ヴァルカン [Vulcan]	
⑫アレス [Ares] マルス [Mars] マーズ [Mars]	
クロノス [Kronos] サトゥルヌス [Satumus] サタン [Saturn]	
ペルセポ [Persephone] プロセルピナ [Proserpina] パーセファニ [Persephone]	
アプロディテ [Aphrodite] ウェヌス [Venus] ヴィーナス [Venus]	
エロス [Eros] クピド [Cupido] / アモル [Amor] キューピッド [Cupid]	
ニケ [Nike] ウィクトリア [Victoria] ナイキ [Nike]	
ハデス [Hades] プルト [Pluto] プルートー [Pluto]	
アスクレピオス [Asklepios] アエスクラピウス [Aesculapius] エスキュレイピアス [Aesculapius]	

【神々の系譜】

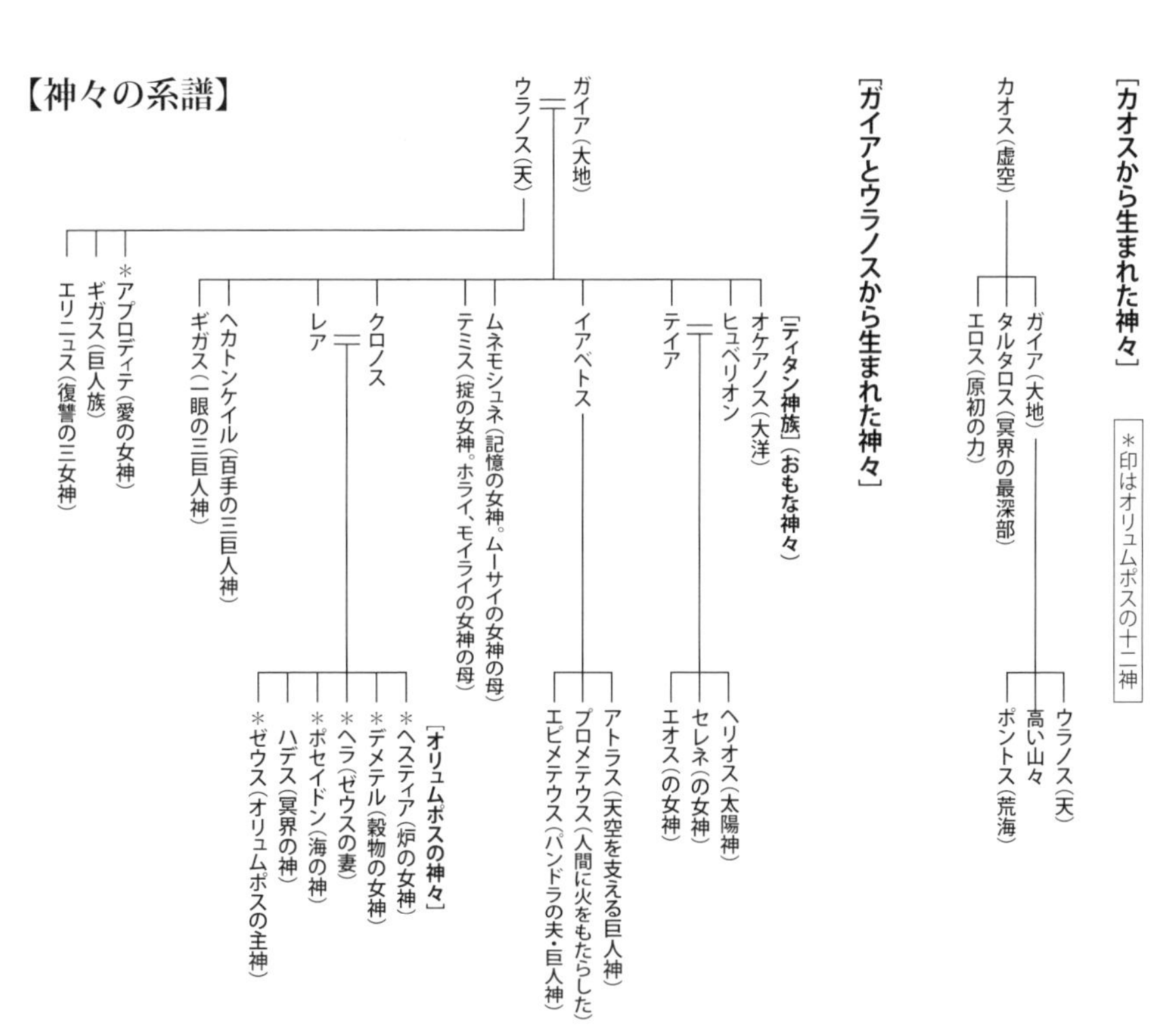

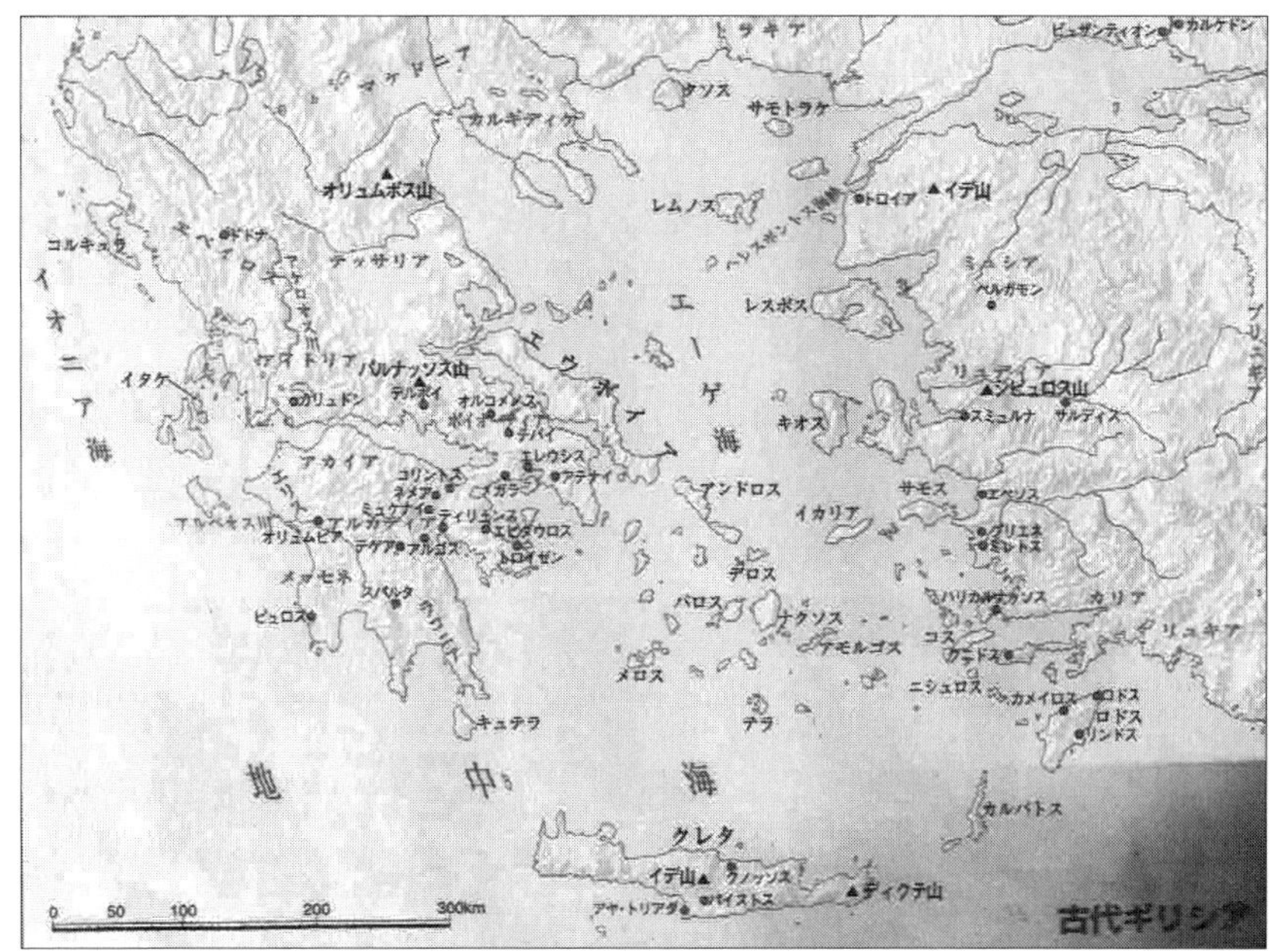

出典：松島道也『ギリシャ神話［神々の世界］篇』（河出書房新社、2001年）

シャ最強のデュポンを倒し巨人族ギガスたちを打ち破って、自分たちの権威を揺るぎないものにした。自分の子どもを食べ尽くそうとしたクロノスから末っ子ゼウスは命を逃れ、親子決戦となった。以下登場する十二神にナンバリングしながら、説明していこう。

①ゼウスの兄姉に②ヘスティア（炉の女神）③デメテル（穀物の女神）④ポセイドン（海の神）そして妻となる⑤ヘラがいた。ヘラの嫉妬に動じることなく、ギリシャ最高神となったゼウスは、多くの人間女性と交じり合い、数え切れないほどの神々や英雄、美女を生み出した。

ここではゼウスの子どものなかで、十二神に限定して説明を加えよう。ティタン神族の娘の一人レトとの間にできた双子が兄⑥アポロン（弓と予言の神）と妹⑦アルテミス（狩猟の女神）だった。もう一人ティタン神族の娘マイアから生まれたのが神の使者⑧ヘルメスである。葡萄栽培と酒の神として知られる⑨ディオニソスはテュロスの王族の娘セメレの子だった。いわゆる「本妻」以外の女性から生まれた子どもたちで十二神となった神は以上である。ただし、ヘスティアとディオニソスは十二神に含まれない場合もある。

ヘラの前にゼウスの最初の妻だったメディスから生まれたのが、知恵と戦いの女神⑩アテナだった。「本妻」ヘラから生まれた子ども四人のうち二人、⑪ヘパイストス（鍛冶の神）と⑫アレス（戦いの神）を加えて、オリンポス十二神と定めている。十二神に含まれないヘスティアとディオニソスの二神の代わりに、確実にあと一人重要な神がいる。愛の女神アプロディテは欠かせない。

英語名での「ヴィーナスの誕生」[★1]は、ボッティチェリをはじめとする西洋絵画に不可欠なテーマとなっている。彼女の誕生には、ギリシャ神話の祖である二人の詩人による二説がある。ホメロスは彼女をゼウスとディオネの娘としたが、一般的にはもう一説のヘシオドス説がとられている。愛、美、豊饒、多産の女神とされるアプロディテは魅力的とされたのだろう。その説とは、ゼウスの父であるクロノスは、自らの父親である天空神ウラノスの男根を切り落として海に投げ入れたが、その精液から生まれたのがヴィーナスであるという説だった。[★2]

第二節　ハリウッド映画から学ぶギリシャの神々と英雄

映画『トロイ』『トロイのヘレン』

古代ギリシャのポリス社会を舞台とし、ギリシャ神話を題材にしたハリウッド

★1　サンドロ・ボッティチェリ作「ビーナスの誕生」。ウフィッツィ美術館所蔵（イタリア・フィレンツェ）

★2　松島道也『ギリシャ神話［神々の世界篇］』（河出書房新社、二〇〇一年）

映画は少なくない。なかでもトロイア戦争、特に「ヘレン」は格好のテーマであり続けるらしい。半世紀以上も前にハリウッドで制作された『トロイのヘレン』[★1]は、「ホメロスの一大叙事詩『イリアス』のなかのトロイ戦争に題材を得たスペクタクル・ロマンである。敵対する国の男女の悲恋物語にスポットを当て、壮大なスケールで描き出す」と映画紹介雑誌では説明されている。果たして「悲恋」なのかどうか。

紀元前十二〜十三世紀頃に実際に戦争はあったようだが、戦争という史実より物語の部分が大きくて、伝説的戦争と言った方が正確かもしれない。前述の映画紹介通り、ホメロスの詩『イリアス』で描かれたものだった。スパルタ王妃ヘレネ(英語名ヘレンのため、以下ヘレンと呼ぶ)とスパルタを訪問中だったトロイアの王子パリスが恋に落ち、パリスがエーゲ海を越えて本国に戻るときに、彼女を連れ帰ってしまったのだった。

王妃奪還を理由にギリシャ軍は、ヘレンの夫であるスパルタ王メネラオスの兄で、ミュケナイ王アガメムノンを総大将にトロイアへ乗り込んでくるのだった。十年間に及ぶ攻防の末、巨大な木馬に兵を潜ませるという奇計によって、最後にはトロイアを破壊したのだった。

この話の基盤になる数々の登場人物が、ギリシャの神々と接触して話が展開されるために史実とは言い難い。まずパリスが虜になるヘレンだが、父親を神とする女

★1 "Helen of Troy"(一九五五年)監督/ロバート・ワイズ

性である。スパルタ王テュンダレオスの妻レダに恋をしたゼウスが白鳥に姿を変えて、レダと交わり生まれたのがヘレンだった。つまりギリシャ随一の美女ヘレンは主神ゼウスの娘ということになる。

ヘレンの母レダを描いた絵画ではレオナルド・ダ・ヴィンチの素描「レダと白鳥」★2が有名だろう。ゼウスの恋愛遍歴のなかでも最も知られた話かもしれない。実はヘレンは双子で生まれ、もう一人のゼウスの娘クリュタイムネストラは成人してアガメムノンに嫁いだ。トロイア遠征軍総指揮官であった夫不在中に、夫の従弟と恋仲になったクリュタイムネストラは、凱旋したアガメムノンを殺害するのだった。二人の間に生まれた娘エレクトラは、父を殺した母と義父を憎んで復讐を誓う。心理学で言う「エレクトラ・コンプレックス」の由来である。

トロイア戦争の原因となったパリスの恋心は彼の罪ではなかった。すでに神々によって決められたことだったのである。ギリシャ神話の英雄の一人ペレウスは女神テティスを射止めて結婚にたどり着いた。二人の婚礼では盛大な宴会が開かれて、多くのオリンポスの神々が集まった。ところが唯一招待されなかったのが、争いの女神エリスだった。恨んだエリスは、宴たけなわの頃にやってきて「最も美しい女性に」と書いた黄金のリンゴを投げ入れた。

女神たちはこの黄金のリンゴを奪い合ったが、最終的に残ったのはヘラとアテナとアプロディテの三人だった。トロイヤ戦争の原因は実はこの黄金のリンゴだった

★2 ダ・ヴィンチの素描「レダと白鳥」は現存せず、左はチェザーレ・ダ・セストによる模写。

のである。

　最終決定を出すべきゼウスは、八方美人のため結論を出せず、審判の役目をトロイアの弓の名手であり、ギリシャ当代きっての美男とされたパリス王子に押しつけたのだった。

　こうして三女神はゼウスの使者ヘルメスに案内されてトロイアの山で羊飼いをするパリスの元へ向かった。三女神は、パリスの気を引くためにそれぞれ条件を提示した。結婚と出産の女神でありオリンポスの女主人で、ゼウスの妻ヘラ（ジュノー）は、パリスを「アジア全土の王」にすると申し出た。パルテノン神殿の女主人で知恵と戦いの女神アテナ（ミネルヴァ）は「絶対負けることのない戦士」になることを条件にした。最後のアプロディテは、海から生まれた愛の女神らしく「ギリシャで最も美しい女性」を妻にすることを約束した。パリスはアプロディテの条件を受け入れ、ギリシャ随一の美女ヘレンと出逢うと、そのまま恋に落ちたのだった。

　トロイア戦争に登場するもう一人の主役は、アキレウスだろう。二〇〇四年にハリウッド映画化された『トロイ』[★1]においては、パリスやヘレンよりも、ブラッド・ピット扮するアキレウスに注目が集まったようだった。黄金のリンゴが投げ入れられた祝宴は、英雄ペレウスと女神テティスの婚礼を祝ったもので、この二人の間に生まれたのがアキレウスだった。ラテン語でアキレスと呼び、日本でも靴メーカー

★1 "Troy"（二〇〇四年）監督／ウォルフガング・ペーターゼン

（販売元／ワーナー・ホーム・ビデオ）

の名前となったためにこの呼び名の方がなじみがあるだろう。

アキレスを産んだ女神テティスは、英雄といえども人間の父をもつ我が息子の不死を願って、冥界へ流れるステュクス河の水に浸して不死身の身体をつくろうとした。ところが、アキレスのかかとの部分をつかんだまま河に浸したため、その部分は不死にはならず、息子の唯一の弱点となった。アキレス腱の由来であることは誰もが知ることだろう。映画のなかでも、ギリシャ側から参戦したアキレスのかかとを、トロイアのパリスが弓で射て命を絶たれる場面はクライマックスとなっていた。

登場人物ばかりか、トロイア戦争自体が十年間も続いた理由の一つはオリンポスの神々が二手に分かれてそれぞれに味方したために、長引いたのだった。トロイア側にアプロディテがつくというのは、前述の絡みから当然だろうが、他の神々ではアポロン、アルテミス、レト、アレスらがトロイアに味方した。ギリシャ側には、当然ヘラとアテナがついたわけだが、加えてポセイドン、ヘルメス、ヘパイストスが味方した。ゼウスは神々のリーダーでありながら生来の日和見主義で、ヘレン誕生の経緯を考えても、いわば「諸悪の根源」であった。さまざまな女神の願いに応じながら、ギリシャ側とトロイア側を転々とした。こうした神々の関与でトロイア戦争は長引いたとされる。

『300』と『アレキサンダー』

『トロイ』同様、ポリス社会スパルタを舞台にした映画『300』[★1]が公開された。「弱い者は生きることさえ許されない、そんな厳しい掟のもとに生まれたスパルタの男たち。次々と国を征服していくペルシャ帝国が次なる標的に選んだのは、彼らの住むギリシャの地だった。百万の大軍を目の前にしてもひるむことのないスパルタ精鋭の三百人。史上空前のこの戦いの結末は?」との内容紹介がある。

紀元前四八〇年のテルモピュライの戦いを描いたアクション映画で、原作は「コミック界では有名なフランク・ミラーのグラフィク・ノベル」である。「ペルシャの血を受け継ぐイランの人々は、本作が歴史を歪曲しイラン文化を侮辱していると怒りの声を上げているらしい」として、ハリウッド映画にありがちな「悪」のデフォルメを認めた批評もある。戦闘ものであるために、暴力的な描写に対しても「スローモーションの多用やCG合成による劇画の趣が一種のクッションとなってリアルさを和らげ」と好意的に受け止められている。「史実にどれだけ即しているかは定かでない」としながらも、CG映像に対して、絶賛評をしていることに違和感を感じずにはいられない[★2]。

「史実」として加えておきたいのは、古代マケドニア社会はギリシャと同じく「男

★1 "Three Hundred"（二〇〇七年）監督／ザック・スナイダー

★2 映画解説／中俣真知子「300」*Asahi Weekly*, Sunday, June 10, 2007, p.20

性同士の同性愛によって成り立っていた」ということである。「兵士たちに明日をも知れぬ戦闘の連続や、厳しい陣中生活を乗り切るための精神的な糧を与えた。戦時・平時を問わず、彼らの間に友愛を育み、競争意識を育て、恐怖心を克服し、お互いの名誉と勇気を高めさせた」「哲学者プラトンの対話篇には、ソクラテス自身や周囲の人々の愛人関係がしばしば活写されている。不敗を誇ったテーベの神聖部隊三百人は、恋人同士を組み合わせて編成され、そのことが二人して死地に赴くだけの高揚感をもたらした★3」とされている。歴史研究者による映画『300』の裏付けである。

ギリシャ神話を引き受けながら、実在したアレクサンドロス（三世）大王を描いたハリウッド映画を最後に紹介して、本節を閉じたい。映画『アレキサンダー』は二〇〇四年公開のオリバー・ストーン監督★4作品である。映画導入部分は、アレキサンダー大王が亡くなって四十年後のエジプトのアレキサンドリアで、大王の臣下だったプトレマイオス一世がアレキサンダーの生涯の記録を残そうと、口述筆記をしていた。

アレキサンダーは、マケドニア王フィリッポス二世の息子で二十歳で即位した。ギリシャを支配し、ペルシア王ダレイオス三世の軍を破り、シリア・エジプト・ペルシャを征服、さらにインドに攻め入ってバビロンに凱旋した翌年、BC三二三年に客死した。彼の母親オリンピアスは、自らをアキレスの末裔だと信じ、アレクサ

★3　森谷公俊『アレクサンドロスの征服と神話』興亡の世界史第一巻（講談社、2007年）p.206

★4　二〇一四年八月、筆者はブロードウェイの劇場街でオリバー・ストーン監督に偶然出会う機会を得た。お互いミュージカルを観た後、帰路につくところで、大通りで立ち止まって話すことができた。筆者は日本で映画を用いてアメリカ史を講義していて、ストーン監督作品は数多く教材にしていることを伝えた。この『アレキサンダー』だけではなく、『七月四日に生まれて』『JFK』は、講義教材には欠かせない。手元にはあるものの講義で使用する機会がないのが、『オリバー・ストーンが語るもうひとつのアメリカ史』十回シリーズである。本書を教科書とする講義では学生たちに見せて、議論をしていきたいと念じている。

ンドロスは神ディオニソス（ギリシャ神話の酒神バッカス。ゼウスとセメレとの子とされる。もともと、マケドニアの宗教的狂乱の儀式を伴う神がギリシャに輸入された）、あるいはゼウスとの間に出来た子だと信じていた。

母親が忌み嫌った片目のフィリッポスは、こんな妻に向かって自らを「ヘラクレスの子孫」だと言い放った。前述したプトレマイオスは、アレクサンドロスの帝国を分割してエジプトを治めたが、口述筆記をさせながら、アレクサンドロスがアポロン神に守られていたと述懐した。これらの説明に、ギリシャ神話の神々や英雄が当然のように登場することに注目しておきたい。

映画が始まったばかりの画面に、アレクサンドロスの横顔がぼんやり映し出される。講義ではその場面で一時停止して確認することにしている。五分間映画を見せた後に、一枚の写真を見せる。ポンペイ遺跡から出土されたモザイク壁画★1に描かれたペルシャ軍との戦闘場面（イッソスの戦い）を描いたアレクサンドロスである。その顔を見せることで、東西世界の交流に努めヘレニズム世界をつくった若き大王へと、講義では興味を喚起してきた。

★1――ポンペイ遺跡の邸宅「ファウノ家」から発見されたアレクサンドロス大王のモザイク画（部分）。

第三節

ケルト伝説を描くハリウッド映画

先住民としてのケルト民族

先住民[★2]として周知された存在としては、南北アメリカ大陸にいる先住民が有名だろう。英語では「インディアン」、西語で「インディオ」と呼ばれる人々である。南半球ではオーストラリアのアボリジニ（aborigine）と隣国ニュージーランドのマオリ族（Maori）がいて、日本では北に蝦夷のアイヌと南に沖縄の人々がいる。

アメリカ合衆国の先住民は、「インディアン」ばかりではない。五十番目の州、ハワイ州には先住民「ハワイアン」がいる。七五〇年頃、南太平洋のポリネシアにあるマルケサス諸島から第一波のポリネシア人が移住してきた。彼らがハワイ諸島に住み始めた最初の人類で、まさに先住民だった。その後、十三世紀にタヒチ島から大移住したのだった。

ハワイ先住民ハワイアンの聖地、ハワイ島にあるマウナケア山山頂に、世界最大級の天体望遠鏡ＴＭＴを日米などが建設しようとしていることに地元は反発し、座り込みをして抵抗していることが二〇一九年八月に報道された。どの地域にも先住

★2　日本における先住民、アイヌ・オキナワについては本書第四部第二章で言及した。

民が存在し、彼らへの敬意をもつことは当然のことである。

ヨーロッパにおける先住民という場合、その一つにケルト民族を挙げることができる。五世紀頃までアルプス以北のヨーロッパの大部分とバルカンまで広く居住した民族だったが、ローマの支配下に入り、さらにゲルマン民族の圧迫によって次第に衰退して、現在アイルランド、スコットランド、ウェールズに加えて、フランスのブルターニュ地方などに散在している。現在のアイルランド地域に住むケルト民族はよく知られているが、北フランスのケルト民族のことは日本では周知されていないかもしれない。

ケルトが体現するのは「ローマ文明やキリスト教が押しつぶしたような野蛮な、雑然とした、書き言葉をもたないとされていた文化」だという。「よくわからない『幻の民』」「古代において栄華を誇った民族が、歴史の荒波に翻弄されつつも、忍耐強く生き延び、現在にまで存続しているという認識」がケルト民族だという。

ケルト人、ケルト文化とは何か

「言語的共通性」を前提として、カエサルの時代にガリア（現在のフランス）を中心とした呼称でケルト人は存在した。カエサルの『ガリア戦記』（Commentarii de Bello Gallico）は、紀元前五八年以降の数年間、ガリアから英仏海峡を越えたブリタニアまでをローマの版図に加えた遠征に関する詳細な覚え書きで、当時のガリアとゲルマニアを知る貴重な史料である。この書においてガリア人に関して触れられることはあっても、ケルト人という呼称は中世後期まで忘れ去られていた。

ケルト人は「十六世紀以降、自らの民族的出自として、また文化的アイデンティティの表現」として再び復活した。「ケルトブームの延長上にある西欧文明批判としてのケルト文化の復興を再評価」することを目的とはせず、「歴史的文脈のなかに再度戻してみて、そのなかでの同時代的意味合いを再考」した研究が『ケルトの水脈』★1だった。

エンヤやケルティック・ウーマンといった歌手によって日本でもなじまれ、ブームになった「癒しのケルト」という形容は、商業ベースに乗ったにすぎないだろう。前述した地球レベルの先住民に共通する点は、自然信仰をするという点だろう。ケルト民族も同様で、キリスト教徒から「異教徒」とされたケルト信仰のわかりやすい例を一つ挙げておきたい。

オークの木に寄生するヤドリギは、稀なる存在として古代ケルト人においては神聖視された。ヤドリギの魔力を期待して玄関に掲げる習慣が、近代になってキリスト教に取り込まれて、クリスマス・リースにつながっていく。他にも妖精、妖怪、鬼、魔女といった伝説もケルト民族の特徴だろう。

★1 原聖『ケルトの水脈』興亡の世界史第7巻（講談社、二〇〇七年）

第四節

ケルト伝説から読むMET[★1]オペラ

説話『トリスタン物語』から楽劇『トリスタンとイゾルデ』まで

『トリスタン物語』はケルト伝説の説話にさかのぼるヨーロッパ中世の代表的な愛の物語で、流布本と騎士道本の二通りがある。流布本は、十二世紀末のイギリス詩人トマ（Thomas d'Angleterre）による。騎士道本はドイツ中世の宮廷叙事詩人、ゴットフリート・フォン・シュトラースブルク（Gottfried von Strassburg：1170-1210）の『トリスタンとイゾルデ』で、男女の清い愛と宮廷社会の秩序・倫理観との相克が主題となっている。

後者の叙事詩を素材に、ワグナー（Richard Wagner）が楽劇につくり上げたのがオペラ『トリスタンとイゾルデ』だった。楽劇とは従来の歌劇を総合芸術作品として、ワグナーが提唱して完成させたものである。音楽・言語・舞台の各要素が劇的内容の表現のために一つに結びつけられている。騎士トリスタンは、伯父マルケ王の妻となるべきイゾルデと深く愛し合っていた。この世では結ばれない運命にあ

★1　METに関して、この訳書が示唆に富む。「トリスタンとイゾルデ」についての言及は、二十ヵ所近くになっている。佐藤宏子訳『メトロポリタン歌劇場』（みすず書房、二〇一八年）

ると悟った二人は死の薬を飲み干すが、その薬は侍女がすり替えた愛の薬だった。そのため悲劇の愛がいよいよ深まる…と解説されたワグナーのオペラ[★2]は、ワグナー自身の着想による。

ワグナーが素材とした騎士道本とは異なり、流布本あるいは説話『トリスタン物語』でも知ることができる。「愛の秘薬を誤って飲み交わしてしまった王妃イズーと王の甥トリスタン。このときから二人は死に至るまで止むことのない永遠の愛に結びつけられる。ヨーロッパ中世最大のこの恋物語は、世の掟も理非分別も超越して愛し合う〝情熱恋愛の神話〟として人々の心に深く焼きつき、西欧人の恋愛観の形成に大きく影響を与えた[★3]」と解説されている。

ワグナーのオペラで世界的に有名になった伝説も、二〇〇五年にハリウッドで映画化され『トリスタンとイゾルデ[★4]』として公開された。「ケルト伝説から生まれた有名な悲恋物語」を『グラディエーター』の鬼才リドリー・スコット監督が製作総指揮をして映画化したものである。「運命に翻弄される男女のドラマ」は「荒々しくも美しい、英国コンウォールやアイルランドの風景」が印象的な映画になっていた。トリスタンが「円卓の騎士」(The Knights of the Round Table)の一人であることは周知されている。円卓物語はアーサー王物語の別称でもある。

物語として確立する十二世紀前半から、仏語や独語に翻案されて大陸の宮廷に一挙に広まり、理想の騎士団像として流布した。単なる王様の武勇伝ではなく、その

★2 山田治生編著『オペラガイド126選』(成美堂、2000年)p.98-101

★3 ベディエ編(佐藤輝夫訳)『トリスタン・イズー物語』(岩波文庫、一九五三年)

★4 "Tristan & Isolde"(二〇〇五年)監督/ケビン・レイノルズ

販売元/二十世紀フォックス・ホーム・エンターテイメント・ジャパン

家臣である「円卓の騎士たち」（Arthurian）による個性豊かな伝説が個別に形成され、全体としてアーサー王物語群となったのだった。湖の貴婦人に育てられ、アーサー王の妃グウィネヴィアと恋に落ちることで円卓の騎士団の崩壊の一因ともなる「湖の騎士ランスロット」、前述した「トリスタンの悲恋物語」、父の代から聖杯探求★1を続けるパーシヴァル、ランスロットの息子ガラハットによる聖杯探索物語など、円卓の騎士物語は何通りにも広がっている。

アーサー王はこれらの騎士をグウィネヴィアとの婚礼の宴に迎えた。近隣諸国の高貴で勇敢な騎士を呼び集めたときに準備したのが、「円卓」だった。円卓は騎士や家臣の席がすべて平等になるようにつくられ、会食の際、接待は平等で誰も自分が同輩より上席にいるといった自慢をできなくした、と言われている。その円卓に座った騎士を総称して「円卓の騎士」と呼んだ。

その数は、イエス・キリストの使徒と同じ数の十二人とも、二十五人とも百五十人とも言われている。「英国のプランタジネット朝は、王権基盤を強化し、またライバルでもあるフランスのカペー朝に対抗する必要に迫られていた。カール大帝（シャルルマーニュ）の子孫を自認するカペー朝に対し、プランタジネット朝は「善王アーサーと円卓の騎士の伝説」をつくり上げて対抗した。王権の権威付けという実に実用的な目的からつくられたこの伝説はやがて思いがけない発展を見せてゆく」という、アーサー王伝説そのものに政治的な意図があったとい

★1　「聖杯」(The Holy Grail) 探求は、中世の騎士の使命として中世文学が好んだ主題だった。アーサー王伝説とキリスト教が合体して「聖杯」は、キリストが最後の晩餐で用いた杯であり、十字架上のキリストが流した血を受けた杯ともされる。

う解釈もある。★2

王朝を権威づけるために「神話」にも相当する「伝説」が必要だったということだろう。アーサー王伝説で重要な要素を幾つか確認しておきたい。まず、彼の誕生の秘密である。アーサーは、ブリテン国王ウーゼルとイグレーヌ王妃との間に生まれた。だが魔術師マーリンの進言に従い、マーリン自身にアーサーを託し、ある騎士に預けてその家の子どもとして育てられた。だが、どの家庭に預けられたかは国王夫妻には内緒にされた。

この一大事を仕切った魔術師マーリンとは何者か。夢魔を父とし人間の母から生まれ魔法を使って自分の姿をさまざまに変えることができ、予言力をもつとされた。アーサー王の出生に関して術によってきっかけをつくり、その後もアーサー王の守護に尽くした。彼自身は、湖の姫の侍女に恋をしたが、魔法によって大木の中に閉じこめられるという最期を遂げたのだった。他家で育てられたアーサーが、王たる存在であることに自他共に気づくことになるのは、「巨大な石に差し込まれた剣」のエピソードだった。

「この石と鉄床より、この剣を抜き出したる者こそ、全ブリテンの血筋正しき王たる者なり」と書かれた剣が差し込まれた巨大な石が、クリスマスの日に教会に集められた騎士たちの前に運ばれた。いかなる騎士も抜くことのできないこの剣を十六歳にも満たない少年アーサーがあっさりと引き抜き、王となる資格を得たのだ

★2 アンヌ・ベルトウロ（松村剛監修、村上伸子訳）『アーサー王伝説』"Arthur et la Table ronde"「知の再発見」双書71（創元社、一九九七年）p.35

った。アーサー王がマーリンに連れて行かれた「妖精の宮殿の湖」で、湖水の下から現れた手と腕から授かった剣が、聖剣・エクスカリバーだった。妖精の技術でつくられたと言われ、どんな者も敵わない無敵の剣とされ、アーサー王の威厳と威力の象徴となった。

ハリウッド映画では、『キング・アーサー』★1に先立つこと半世紀前、『円卓の騎士』★2が製作されている。ブロードウェイ・ミュージカルにも『キャメロット』『モンティ・パイソンと聖杯』など、アーサー王伝説は芸能面においても、不滅のテーマを与えているようである。

★1 "King Arthur"（二〇〇四年）監督／ジェリー・ブラッカイマー

販売／ブエナ・ビスタ・ホーム・エンターテイメント

★2 "Knights of the Round Table"（一九五三年）監督／リチャード・ソープ

第四章

オリンピックの歴史から世界を学ぶ

「スポーツの祭典」の域を超えたエピソードの数々

第一節

近代オリンピックに至る道のり

二〇二〇年七月二十四日に開会式を行う予定で、コロナ禍のために一年延期が決まった東京オリンピック[★1]は、通算第三十二回オリンピックで、近代オリンピックが始まった一八九六年以来、一二四年目のオリンピックとなる。まずその前身となった古代ギリシャで行われていた「オリンピア祭典競技」、いわゆる古代オリンピックを確認しておこう。[★2]

古代オリンピックは、考古学では紀元前九世紀頃の開催とされる。ギリシャを中心にしたヘレニズム文化圏の宗教行事で、全能の神ゼウスをはじめ多くの神々を崇

★1　延期により二〇二一年の開催になっても、名称は変わらず「Tokyo 2020 (twenty twenty)」のままである。

★2　日本オリンピック委員会HP「オリンピックの歴史」からhttps://www.joc.or.jp/sp/column/olympic/history/001.html

めるための、神域における体育や芸術の競技祭だった。オリンピア地方で行われた「オリンピア祭典競技」、コリント地方の「イストミアン・ゲームズ」、ネメア地方の「ネメアン・ゲームズ」、デルフォイ地方の「ピシアン・ゲームズ」などが四大祭典競技として知られている。

オリンピックが四年に一度開かれる理由には諸説あるが、日本オリンピック委員会のＨＰには、古代ギリシャ人が太陰歴を使っていて、暦を司る神官によって四十九ヵ月と五十ヵ月間隔を交互に開催されていたとある。

古代オリンピックで最初に行われた競技は、一スタディオン（約一九一メートル）のコースを走る「競走」だった。オリンピアの聖地には、競走のための「スタディオン」が築かれた。スタディオンは長さ約二一五メートル、幅約三〇メートルの広場を、高い盛り土がスタンドのように囲んだ施設（貴賓席として白い大理石のベンチも用意されていた）だった。一スタディオンという距離は、このスタディオンの競技場が基準となった単位だったのである。

紀元前七七六年の第一回大会から紀元前七二八年の第十三回大会まで、古代オリンピックで開かれていたのは競走一種目だけだった。一スタディオンは、ゼウスの足裏六百歩分に相当し、ヘラクレスがこの距離を実測したともされる。前章「精神構造に定着する西欧文化」で説明したとおり、ギリシャ神話が西欧世界に当然のように入り込み、人間の暮らしそのものに表現されていることは、このことでも明らかである。

その後、古代オリンピックは種目の数を増やし、より大きな祭典へと発展して、ギリシャ全土から競技者や観客が参加した。当時のギリシャではいくつかのポリスが戦いを繰り広げていたが、宗教的に大きな意味のあったオリンピアの祭典には、戦争を中断してでも参加しなければならなかった。「聖なる休戦」ということになる。

紀元前一四六年にギリシャはローマ帝国に支配され、ギリシャ人以外の参加を認めていなかった古代オリンピックだったが、ローマが支配する地中海全域の国々から競技者が参加するようになり、次第に変容を遂げていった。さらに三九二年には テオドシウス帝が一神教のキリスト教をローマ帝国の国教と定めたことで、多神教であるオリンピア信仰を維持することは困難となった。そのため、翌三九三年に開催された第二九三回オリンピック競技大祭が、最後の古代オリンピックとなった。戦乱を乗り越え、一一六九年間も受け継がれた伝統は終焉を迎えたのだった。

古代オリンピックの終焉から千五百年経った一八九二年、フランスのピエール・ド・クーベルタン男爵は、ソルボンヌ講堂で行った「ルネッサンス・オリンピック」と題する講演のなかで、初めてオリンピック復興の構想を明らかにしたのだった。彼の理想は次第に世界中の国々の賛同を得て、講演から四年後の一八九六年、第一回大会がオリンピックの発祥地、ギリシャのアテネで開催されたのだった。★1

★1　財団法人日本オリンピック委員会監修『近代オリンピック百年の歩み』（ベースボールマガジン社、一九九四年）

近代オリンピックは二〇二〇年（二〇二一年）で一二四年（一二五年）を迎えるが、オリンピックと並行（ギリシャ語で「パラ」）して、終了直後にパラリンピックも開催される。本章ではパラリンピックに言及する紙幅はないが、その歴史だけ記しておきたい。もともと「パラ」は、Paraplegia（対まひ者）に由来し、身体障がい者の国際大会にはなじまないため、「並行・平行」の意味にしたと、日本財団パラリンピックサポートセンターＨＰでは説明している。

同ＨＰによれば、第二次世界大戦で負傷した兵士の治療と社会復帰を目的としてイギリス人医師グッドマン卿が、一九四八年ロンドン・オリンピックに合わせて、病院内で車椅子患者によるアーチェリー大会を行ったことが、パラリンピックの始まりとしている。その後一九六〇年のローマ大会で正式に開催され、次の東京大会は第二回となった。その後、名称は何度か変更され、パラリンピックの名称を用いたのは一九八八年ソウル大会だった。

では、一二四年間の近代オリンピックのうち、二つのテーマについてはこのあと節を設けるが、それ以外の視点から概観する。第四節で言及するＮＨＫ大河ドラマ「いだてん～東京オリムピック噺」では、開催国となることが決まる過程を丁寧に紹介していた。

★1　一九五七年十月四日のソ連による人類初の人工衛星「スプートニク一号」の

第二節

政治対立で読むオリンピック

古代オリンピアの祭典では、戦争を中断して「聖なる休戦」をしたことを考えると、近代オリンピックで政治対立が起きた事実は、オリンピック本来の趣旨に反すると言えるだろう。二十世紀は二大大国の対立がそのまま、オリンピックでも展開された。

一九一七年にロマノフ王朝転覆を起こしたロシア革命を経て、「ソビエト社会主義共和国連邦」が一九二二年に誕生し、一九九一年十二月の崩壊まで六十九年間、ユーラシア大陸における共和制国家として存在した。世界最初の社会主義国として誕生した「ソ連」は、一九五〇年代までに世界の最先進工業国となり、世界的な大国としてアメリカ合衆国と対立を続けた。これを歴史上「米ソ対立」と表現した。「スプートニク・ショック[★1]」に代表される宇宙開発、「ビキニ環礁の水爆実験[★2]」「キューバ危機[★3]」の核兵器開発など、米ソ対立は、一九五〇年代に急速に進んで、第三次世界大戦すら予想される危機的な状況も産んできた。このような二大大国は、スポーツの世界でも金メダル争いを続けたのだった。

ソ連崩壊後「ロシア連邦」となって、すでに三十年近く経つが、二〇一九年暮れ

打ち上げ成功により、アメリカ合衆国をはじめとする西側諸国の政府や社会に走った（宇宙開発で先行された）衝撃や危機感を指す。

★2　ソ連との核開発競争を背景に米国が一九四六〜五八年、信託統治領だったマーシャル諸島で計六十七回にわたって核実験を実施。一九五四年三月一日にビキニ環礁で実験された水爆「ブラボー」の威力は広島型原爆の千倍とされ、周辺海域にいた第五福竜丸の乗組員二十三人が「死の灰」を浴び、半年後に無線長の久保山愛吉さん（当時四十歳）が死亡した。日本の反核運動の契機となったが、「原子力の平和利用」に踏み出そうとしていた日米間で早期の幕引きが図られた。一九五五年に米政府が「見舞金」として二百万ドルを日本政府に支払うことで政治決着。一九五四年三〜五月の実験時だけでも周辺海域に千隻の船舶がいたとみられたが、公的な調査はされなかった。第三部第三章第五節「ラッキードラゴン」を参照されたい。

★3　一九六二年、キューバへのソ連のミサイル配備に抗議したアメリカがキューバを封鎖し、米ソの対立が核戦争の危機となった。最終的には両国首脳（ケネディ大統領とフルシチョフ首相）の直接交渉でソ連がミサイルを撤去、危機は回避された。

の段階でも、スポーツ界での「ドーピング違反」が長く問題になっている。ロシア・オリンピック委員会（ＲＯＣ）のスタニスラフ・ポズドニャコフ会長は十一月二十八日、国ぐるみのドーピング違反に絡む検査データ改ざん問題で、同国に五輪などの国際大会に四年間参加禁止処分が下される可能性があるとした。東京五輪への国家としての参加は絶望的である。

二十世紀半ばの米ソ対立を代表する事例として、一九八〇年のモスクワ・オリンピックと翌一九八四年のロサンゼルス・オリンピックを見ていこう。まず、モスクワ五輪に参加予定だった日本選手としては、マラソンの瀬古利彦、双子の宗兄弟が絶好調、柔道の山下泰裕★1は金メダル確実と言われた時代だった。

開催前年である一九七九年十二月二十四日、ソ連支援の下、クーデタによって誕生した親ソ派のアフガニスタン政権の要請で、ソ連軍はアフガニスタンに軍事介入した。中東の石油確保のための第一歩だったのである。ところが、発展途上の国々は予想外に反ソの立場を見せたこと、イランのアメリカ大使館員全員が人質になる事件★2が起きたことなどで、再選をねらっていたカーター政権は、オリンピック不参加を決めたのだった。

モスクワ・オリンピックをボイコットすることを、政治・外交手段としたカーター大統領は、国内に向けて同意を取り付けること、西側諸国に呼びかけてボイコットに同調してもらうことに努めた。アメリカ合衆国オリンピック委員会（ＵＳＯＣ）

★1　山下泰裕は二〇一九年六月にＪＯＣ会長に就任、暮れには国際オリンピック委員会ＩＯＣの委員に推薦され、二〇二〇年年明けに正式に就任が決まった。

★2　ハリウッド映画『アルゴ』（監督／ベン・アフレック）は、この人質事件を題材とした作品で、二〇一三年アカデミー賞最優秀作品賞を受賞した。ホワイトハウスから中継された授賞式のプレゼンターは、ファーストレディ、ミシェル・オバマだった。

販売／ワーナー・ブラザース・ホームエンターテイメント

は、ボイコット決議案に対して、圧倒的大差で不参加を決めたのだった。当時の日本では、日ソ貿易中止など経済的に実害ある対応ではなく、政治的な対米協力姿勢を示すために、安価な策として「オリンピック不参加」が検討された。

元来独立した民間団体であるべき日本オリンピック委員会（ＪＯＣ）は、オリンピック参加に対して独自の判断をしてしかるべきだったが、当時の官房長官が「政府とＪＯＣは九九％一体である」と記者会見で発言したように、国庫補助に頼る団体という立場から政府の姿勢に同調せざるを得なかった。一九八〇年五月にＪＯＣ臨時総会が開かれ、投票権をもつ四十七人のＪＯＣ委員によって、挙手での採決がなされたのだった。「ナショナルエントリー提出は無理」という委員長見解に対して、賛成二十九、反対十三で、モスクワ・オリンピック不参加は決定した。

この決断から四年後の一九八八年、ロサンゼルスで開催されたオリンピックには、当然のようにソ連とその影響下にあった東欧諸国は選手を送らなかった。二度のオリンピックが政治の道具にされ、犠牲になったのは、オリンピックを目標に血のにじむ努力を重ねてきた選手たちだった。米ソ双方ともに、選手の気持ちは同じだったに違いない。

米ソ対立の状況のままで開催されたオリンピックは、ロサンゼルスの次、一九八八年ソウル大会が最後となった。この次一九九二年バルセロナ・オリンピックは、冷戦終結後初めての大会となり、オリンピックの政治利用は影を潜めることになるのだった。

ロサンゼルスを開催地としたのは、一九三二年が最初、そのあとがこの議論の一九八四年、次回は二〇二八年と決まっている。ソ連をはじめとする東側陣営が参加しなかった一九八四年は、従来の「平和の祭典」とは少々異なる側面があった。かつて一九七六年のモントリオール・オリンピックが大赤字で、大会後三十年間「オリンピック特別税」を市民は負担したという事例があり、「税金を使わない」オリンピックをめざすことになった。

「ロサンゼルス市民の税金は一セントも使わない」ことを公言したピーター・ユベロス大会組織委員長は、史上初の「完全民営化」のオリンピックを実現した。四十二歳の敏腕ビジネスマンは、収入の三本柱として、テレビ放映権、スポンサー企業の協賛金、入場券を設定した。その結果「ユベロス商法」は、二億ドル以上の黒字を出したのだった。オリンピックは「儲かるイベント」という認識は、このロサンゼルス大会から始まったのである。果たして、「二〇二〇年」東京オリンピックは儲かるのかどうか…。

第三節

アメリカ黒人から知るオリンピック

「奴隷の子孫」の選手の活躍

南北アメリカ大陸へヨーロッパ人がアフリカ人を運んできた、という事実がアメリカ大陸での黒人史の「はじまり」だった。現在のアメリカ合衆国となる北米英領植民地に、最初のアフリカ人が運び込まれたのは一六一九年八月だった。二〇一九年で四百年を迎えたことになる。アフリカ人は主として南部農園で奴隷として使われ、一八六五年南北戦争終了後、合衆国憲法修正十三条通過によって奴隷制度が廃止されるまで、二百四十六年にわたって奴隷であり続けた。

現在、合衆国内では奴隷の子孫への補償を求める声が高まり、議論が続いている。二〇一九年六月十九日、連邦下院司法委員会で、過去の奴隷制に対する補償の是非をめぐる初公聴会も開かれた。奴隷制度の責任を問う声が広がっている。本書第四部第一節では、第二次世界大戦中の日系アメリカ人に対する強制収容「補償法」の顚末をまとめたが、黒人奴隷の子孫への補償に関して、今後どのような展開をするのか、凝視し続けなければならない。

「奴隷の子孫」であるアメリカ黒人が、オリンピックをはじめ、あらゆるスポーツで大きな記録を残していることは周知の事実である。本節ではオリンピックに限定して、どのようなことが起きたのか、三つの事例を挙げておきたい。

一九三六年ベルリン・オリンピック

ナチス・ドイツの支配が始まって三年後のオリンピック開催で、独裁者ヒトラー自身の人種差別感、あるいは「アーリア人」至上主義が先行したため、白人以外の選手の活躍を受け入れられないヒトラーの前で、有色人種が次々と金メダルを獲得したことはヒトラーにとって脅威だったことだろう。

その代表が、アメリカ黒人の陸上選手の活躍だった。一九三六年、多くの黒人選手の名前がオリンピック候補として挙がったが、最終的に十八名のアメリカ黒人（男性十六名、女性二名）がベルリン・オリンピックに参加した。この数字は、前回一九三二年開催のアメリカ国内、ロサンゼルス・オリンピック参加選手の三倍だった。その十八名の選手のうち十四名がメダルを獲得したのだった。内訳は、金メダル八個、銀メダル四個、銅メダル二個だった。このうち、ボクシングのバンタム級で銀メダリストを出した以外は、すべて陸上競技の成果であった。

黒人選手にとってオリンピックは特別なチャンスで、一九三〇年代の本国アメリカでは、「ジム・クロウ法」と称する不文律で、黒人はレストランやホテルなどの公共施設の利用が禁止され、米国軍隊では、第二次世界大戦中も分離政策が実施されていた。本国の現状を考えると、ベルリンでのオリンピックは、彼らの力を存分に見せる絶好の機会ともなった。その成果を、以下に列挙する。★1

・デビッド・アルブリットン／走り高跳び（銀メダル）
・コーネリアス・ジョンソン／走り高跳び（金メダル）
・ジェームス・ルーヴァル／四〇〇メートル競走（銅メダル）
・ラルフ・メトカーフ／四×一〇〇メートルリレー（金メダル）
　一〇〇メートル走（銀メダル）
・ジェシー・オーエンス／一〇〇メートル走（金メダル）
　二〇〇メートル走（金メダル）
　走り幅跳び（金メダル）
　四×一〇〇メートルリレー（金メダル）
・フリッツ・ポラード・ジュニア／一一〇メートルハードル（銅メダル）
・マシュー・ロビンソン／二〇〇メートル走（銀メダル）
・アーチバルド・ウィリアムズ／四〇〇メートル走（金メダル）
・ジョン・ウッドラフ／八〇〇メートル走（金メダル）
・ジャック・ウィルソン／ボクシング・バンタム級（銀メダル）

★1　米国ホロコースト記念博物館（The United States Holocaust Memorial Museum）https://encyclopedia.ushmm.org/content/ja/article/the-nazi-olympics-berlin-1936-african-american-voices-and-jim-crow-america

前頁一覧のように、ジェシー・オーエンス[★1]は一人でメダルを四個獲得し、しかもすべて金メダルだった。このようにベルリンオリンピックで輝かしい記録を残したアメリカ黒人だが、当時は、帰国後も依然として社会的・経済的な人種差別が続いていた。

メキシコ五輪（一九六八）のブラックパワー・サリュート

アメリカ黒人ばかりでなく、黄色人種の選手もベルリン・オリンピックで成果を上げた。マラソンで金と銅の二つのメダルを獲得したのだった。まず孫基禎は、日本の新義州（朝鮮半島）出身のマラソン選手で、アジア地域出身で初めてマラソンで金メダルを獲得した。南昇竜も同様で、銅メダリストとなった。第一部第一章第三節で説明したように、大日本帝国の「韓国併合」によって、韓国では三十五年の間、日本支配が続いた。一九三六年ベルリン・オリンピックは、まさにその真っ最中で、この二人の黄色人種のマラソン選手は、朝鮮半島出身ながら日本代表として出場して日本の日の丸が揚がるのを、表彰台で直視できなかったのである。

彼らが表彰台を直視できなかったことと同様の経験を、三十二年後の一九六八年、メキシコ・オリンピックが開催されたときに経験したアメリカ黒人選手がいた。ボブ・ビーモンが走り幅跳びで八メートル九〇の驚異的な世界記録を出したことは象徴的だが、アメリカ黒人選手は次々に成果を出し続けた。ただ、後世に残る大きな

★1 池井優『近代オリンピックのヒーローとヒロイン』一四九～一六八頁「第九章 ジェシー・オーエンス―ベルリンで四つの金メダルを獲った黒人選手」（慶応大学出版会、二〇一六年）

「事件」が起きたのだった。

男子二〇〇メートル表彰式でそれは起こった。一九秒八三の世界記録で優勝したトミー・スミスと、三位のジョン・カルロスが、メインポールに揚がる星条旗を無視、黒い手袋をはめたこぶしを突き上げたのだった。★2

この年の四月には、黒人解放運動の指導者、キング牧師がテネシー州メンフィスで暗殺され、アメリカ社会では黒人差別への不満が頂点に達していた。それがオリンピック表彰台で爆発したのだろう。「ブラックパワー・サリュート」と呼ばれたが、国際オリンピック委員会（ＩＯＣ）の処分を受け、アメリカチームから除名、追放されたのだった。

モハメド・アリから知るオリンピック

ケンタッキー州ルイビル出身のカシアス・クレイという名のアメリカ黒人が、一九六〇年ローマ・オリンピックのボクシングで金メダルを獲得した。十八歳のクレイがオリンピックで金メダルという快挙を成し遂げて、故郷ルイビルに凱旋したとき、友人とレストランに入り、店員に金メダルを見せて名乗っても「ここは白人専用、黒人の来るところではない」と追い出されたのだった。帰り道、クレイはオハイオ川に金メダルを投げ捨てたのだった。その後プロに転向して世界王者をめざすことになった。

★2　二〇〇メートル走の表彰台で、拳を掲げる金メダリストのトミー・スミス（中央）と銅メダリストのジョン・カーロス（右）。銀メダリストのピーター・ノーマンは白人ながら二人の行為に賛同し、「人権を求めるオリンピック・プロジェクト」のバッジを着用している。

一方、クレイは黒人指導者マルコムX率いる黒人組織ネーション・オブ・イスラムの一員になり、かつて祖先が奴隷だった頃に白人所有者がつけた奴隷の名前を捨て、イスラム名に改名したのだった。その名はモハメド・アリ。彼がオハイオ川に投げ捨てた金メダルの後日談はさらに続く。

同時期のムハマド・アリは、露骨な黒人差別を温存するアメリカ社会に批判的な態度をとり続け、ベトナム戦争への徴兵を拒否したため、チャンピオンペルトを剥奪されることになった。徴兵拒否で懲役五年、罰金一万ドルの刑を受けたのだが、一九七〇年に最高裁で無罪となった。翌一九七一年にリングへ復帰するが、初めての敗北を経験した。しかし一九七四年、アフリカのザイール（現コンゴ民主共和国）のキンシャサで、ジョージ・フォアマンと歴史的対戦を行い、奇跡の王座奪還を果たし、「キンシャサの奇跡」と呼ばれた。

ところがパーキンソン病を発病し、一九八一年に引退した。ボクシングからは引退したが、それ以外の行動は止めなかった。人種差別に挑む一方、一九九〇年の湾岸戦争では、サダムフセインを訪問して十人の米軍捕虜をアメリカに送還することに成功した。さらに一九九八年にはキューバを訪問し、アメリカ政府に対して経済封鎖の緩和を訴える声明を発表した。「九月十一日同時多発テロ」のときには、救援コンサートでイスラム教徒を代表して平和を呼びかけたり、病にありながらも精力的に政治活動を続けたのだった。

一九九六年七月のアトランタ・オリンピック開会式で、最終聖火ランナーとしてボクシングの元世界ヘビー級王者モハメド・アリが、パーキンソン病を患い震える手を押さえながら聖火台に点火し、世界中の感動を誘った。このとき、ＩＯＣからローマオリンピックの金メダルのレプリカを渡された。黒人差別に憤り、川へ投げ捨てた金メダルが再び彼の手に戻ったということである。★1

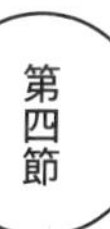

東京オリンピック 一九四〇年と六四年、そして二〇二〇年

Tokyo twenty twenty

二〇一三年九月七日にアルゼンチンの首都ブエノスアイレスで開かれた、第一二五回国際オリンピック委員会（ＩＯＣ）総会において、開催地を決める投票が行われ、開催都市は東京に決定した。この時点で国際オリンピック委員会会長だったベルギー人、ジャック・ロゲ伯爵が、〝Tokyo twenty twenty〟と読み上げた直後の歓喜の声を、我々は何度見聞きしたことだろう。あれから七年が経った二〇二〇

★1　岩本裕子『スクリーンで旅するアメリカ』八四～八五頁（メタ・ブレーン、一九九八年）

年夏には、東京で夏季オリンピック・パラリンピックが開催されるはずだった。

一九六四年東京オリンピック開催以来、五十六年ぶりの夏季オリンピック開催地に東京が選ばれた。同一都市での二度目の開催はアジアでは初めてである。元号が平成から令和へと代わって一年三ヵ月目の東京オリンピック開催には、どのような意味があるのだろう。このことを検討するためには、前回一九六四年ばかりか、幻に終わった一九四〇年のオリンピックから見ていく必要があるだろう。

二〇一九年のＮＨＫ大河ドラマ「いだてん～東京オリムピック噺」について、ＮＨＫのＨＰ「番組紹介」によれば以下のように説明されている。

「日本で初めてオリンピックに参加した男、金栗四三と、日本にオリンピックを招致した男、田畑政治。この二人がいなければ、日本のオリンピックはなかった。一九六四年の東京オリンピックが実現するまでの日本人の〝泣き笑い〟が刻まれた激動の半世紀」と紹介され、「日本が初めて参加し、大惨敗を喫した一九一二年ストックホルム、幻となった一九四〇年東京と敗戦、復興、平和への祈り。このドラマを見れば、二〇二〇年東京オリンピックの見方が変わる！」としている。

幻の東京オリンピック ——一九四〇年 第十二回夏季大会

一九四〇年は昭和十五年、日本にとっては紀元二六〇〇年にあたり、国家的事業として日本でのオリンピック開催を考えていた。開催地が東京に決定したとの国際電報が届いたのは一九三六年八月一日で、この決定は充分な下準備の結果だった。

国際連盟事務局次長の杉村陽太郎を通じて、国際連盟の有力メンバーである欧米列国に働きかけた。さらに、最大のライバルとなるローマには、今回は辞退してもらい、次回の一九四四年に回ってもらうよう、ローマへ使者も送っていた。ＩＯＣ委員となっていた副島伯爵が、イタリアの独裁者ムッソリーニに面会して約束を取り付けたのだった。

万全の準備をして、やっと手に入れた東京オリンピックばかりか、同一年の冬季大会の札幌開催も獲得した。ところが、まったく別の理由で幻となってしまったのだった。一九三七年七月七日、日中戦争が勃発したのだった。日中間の小競り合いは長期化して、国際世論は交戦状態にある国でのオリンピック開催に懸念を示すようになった。副島伯爵は、開催不可能なら「早く返上すべき。代替都市の準備のためにも」と、当時の近衛首相に要請したのだった。

一九三八年七月十五日、閣議が返上を決定し、翌日には東京・札幌大会両組織委員会が大会中止を決定した。ヘルシンキに変更されたこの大会は、結局第二次世界大戦勃発によって、夏季、冬季いずれのオリンピックも開催されることはなかった。

一九六四年　第十八回大会がやっと東京へ！

第十八回オリンピックの開催地が東京に決定したのは、一九五九年五月二十六日。

西ドイツのミュンヘンで行われた第五十五回ＩＯＣ総会だった。[★1]一九四〇年の第十二回オリンピックの開催地が東京に決定したものの、開催を返上して二十年の月日が経過していた。

日本オリンピック協会のＨＰには「東京オリンピックは、大成功のうちに終了した。しかし、オリンピック開催の真の意義は、大会後にどのようなものを残すことができるかにあるのだ」とし、「東京オリンピックが残したもの」というコラムで、次のように記述している。

「東京オリンピックは日本のスポーツ界に有史以来の大きなインパクトを与えました。まず、金メダル十六個を含む計二十九個のメダルを獲得し、国際競技力のレベルで、いくつもの競技が『世界に追いつけ、追い越せ』を実現し、あるいは実現可能な手応えをつかみました」

メダル、特に金メダルの数で参加国を見てみると、やはり米ソの対決となっていて、アメリカ合衆国は金メダル三十六個で最多、銀・銅を含めると九十個獲得した。続いてソ連が金メダル三十個で二位に付いたが、銀・銅を含めると九十六個で最多であった。こうした超大国と肩を並べて、開催国の日本は、金メダルが十六個、銀・銅を含め二十九個と、全体で第三位の成果であった。

二〇二〇年東京オリンピックに向けた各局番組企画で、一九六四年に開催された

★1　日本オリンピック協会HP　https://www.joc.or.jp/sp/past_games/tokyo1964/story/vol02_01.html

東京オリンピックの聖火ランナーをたどっていた。ＮＨＫ大河ドラマ「いだてん」でも描かれていたが、聖火の最終ランナーは特筆に値するだろう。六十四年の東京オリンピックでは、一九四五年八月六日広島県三次市で生まれた十九歳の陸上選手・坂井義則がその役目を担った。原爆投下の日に広島市に程近い場所で生をうけた若者が、青空の下、聖火台への階段を駆け上る姿は、戦後日本の復興の象徴と見なされたのだった。

「復興五輪」の名の下に、二〇一一年に発生した東日本大震災からの復興の過程を世界に示すという意味から、聖火リレーの出発地は福島県と決まった。二〇二〇年三月二十日春分の日に、聖火はギリシャから航空自衛隊松島基地（宮城県）に到着し、三月二十六日に福島県から国内リレーを始めることになっていた。

しかし、世界中に蔓延した「新型コロナウィルス感染症」により聖火リレーは中止、さらに二〇二〇年七月開催は一年後に延期になった。この時点では、収束の見通しのない感染症によって、東京オリンピック開催は一九四〇年同様に「幻」になるのだろうか。

無事一年後に開催されたとして、聖火最終ランナーは誰に？　そこには、どのような政治的な意味が加わるのだろうか。歴史の瞬間を凝視し続けなければならない。

火曜日と水曜日では雲泥の差

火曜日は英語でTuesday。ゲルマンの一部族であるチュートン族の軍神「ティウ」の日から名付けられた。仏語ではMardi、火星（Mars）の日となる。この名前が付いた祭が、マルディ・グラ（脂肪の火曜日）で、謝肉祭の最終日「飲めや歌えの大騒ぎ」をする、俗に「カーニバル」と呼ばれる日である。

イタリア語の「カルナヴァーレ」からきた言葉で、世界的に有名なカーニバルは、北半球ではパリ、イタリアのベネチア、アメリカ合衆国ではフランスの植民地だったルイジアナのニューオーリンズ、さらに南半球では真夏のブラジルのリオディジャネイロ（「一月の河」の意味）が有名だろう。いずれもカトリック人口の多い大都市である。

通常二月中旬とされるが、二〇二〇年は最終火曜日の二十五日だった。キリスト教でもプロテスタントよりカトリックでのお祝いが知られる。起点となるのは「復活祭」、いわゆるイースターである。

この復活祭から逆算して四十日間、つまり「四旬節」英語ではレント（Lent）と呼ぶ。神の子イエスが、四十日間断食修行をしたことを記念して、日曜を除く四十日間断食、懺悔するとされる宗教行事である。

このレント初日は、マルディグラの翌日の水曜日で、復活祭の前の四十六日目の水曜日を「聖灰の水曜日」（Ash Wednesday）と呼び、四旬節の第一日目とする。カトリック教会では信者に死と痛悔の必要を想起させるため、各人の額に灰で十字架のしるしをつける儀式を行う。前日が「告解火曜日」「懺悔の火曜日」とも呼ばれる由縁である。

カーニバル、つまり謝肉祭とは、レント直前三日間（日曜〜火曜）の祝祭を意味する。断食に入る前に思いっきり肉を食べ、乱痴気騒ぎをして過ごす、それがカーニバルで、二月の行事である。水曜日には朝一番に教会へ行き、額に灰を十字に塗ってもらうのだった。

二〇二〇年二月二十六日水曜日、ニューヨークの朝のニュースで教会の様子を見た筆者だったが、マンハッタンのあちこちで、夕方になっても額に十字の灰を塗った人々を見かけた。

日曜日を休日とするキリスト教

ユダヤ人の歴史が記されている旧約聖書の「創世記」で、神は六日間で世界を創り、七日目に休息したとある。ユダヤ人が七日目に休むことは神との約束でもあった。

ユダヤ人の安息日（シャバット）は、ユダヤ人の生活の中心でもあり、七日を一週とする周期の最終日、つまり土曜日は休息日、何もしてはならない日、聖なる日となるのだった。

一方、同じ神を信じる兄弟宗教のキリスト教では、主イエスが復活した日曜日を主日と決め、この日は神を思い自分を取り戻す日としている。キリスト教徒にとって、安息日は日曜日となる。神の子イエスは、ユダヤ人女性マリアから生まれたとはいえ、本当に神の子かどうかを証明したのが、「復活」という事実だった。

ここで重要視する「復活祭」の日程の決め方は、キリスト教では月の満ち欠けが関係するために、毎年時期が異なる。復活祭は「春分の日のあとの、最初の満月の次の日曜日」である。時期的には三月下旬から四月下旬まで、ほぼ一ヵ月間のどこかの日曜日となる。

カトリックとプロテスタントは、グレゴリオ暦を採用しているので、復活祭の日取りは同じだが、ギリシャ正教やロシア正教はユリウス暦を採用しているために、日取りが異なる。クリスマスも同様で、ギリシャ正教では一月七日である。

復活祭の一週間前「シュロの日曜日」（Palm Sunday）から、いよいよ復活祭へと動き出す。イエスがエルサレムに入ったのがこの日曜日で、民衆がシュロの枝をもってイエスを迎えたことから、復活祭直前の日曜日をこう呼んだ。「シュロの日曜日」の礼拝では、信者たちにシュロが配られる。

この週の木曜の夜、「最後の晩餐」が行われ、翌金曜日にイエスはゴルゴダの丘で磔刑となった。磔刑になったとき、そばにいたのは聖母マリアとマグダラのマリアだけ。裏切り者ユダ以外の十一人の弟子たちは、皆イエスのそばから離れた。

一番弟子ペトロは、イエスのことを問われて「私は知らない」と三度言った。その二日後の日曜日にイエスは復活するのだが、復活したイエスを最初に見つけたのも、二人のマリアだった。キリスト教徒にとって日曜日は特別の日であり、教会で祈るための日なのである。

なぜ巴里祭？七月は革命月？

「バスティーユ襲撃」ジャン＝ピエール・ウーエル画。

パリ市民のバスティーユ牢獄の襲撃を皮切りに、フランス革命が勃発した。その日付である一七八九年七月十四日は、「フランス革命記念日」とされ、フランス人は「七月十四日」（Quatorze Juillet）と呼ぶ。

革命と無関係の日本人はなぜか「巴里祭」と呼んで、お祭りのように解釈する。それはルネ・クレール監督作品「七月十四日」が日本で公開されたとき、邦題を「巴里祭」とつけたためだった。

日付で歴史的事実を呼ぶのは、フランス人に限ったことではなく、アメリカ人も同様である。「アメリカ合衆国の独立記念日」（Independence Day）のことを、その日付で「七月四日」（Fourth of July）と呼んでいる。

イギリスからの独立戦争勃発翌年の一七七六年七月四日、戦争真最中ながらイギリス国王ジョージ三世に宛て「独立宣言」を突きつけた。

この文書は、そのほとんどが国王への異議申し立てだったのだが、歴史上有名になったのはその前文だった。

「すべての人間は平等につくられている」（All men are created equal.）「生命、自由、幸福の追求」（Life,liberty, pursuit of happiness）を不可侵・不可譲の自然権としたことで、アメリカ独立革命の理論的根拠を要約した表現となった。後の思想にも大きな影響を与えた。

こうした事実がフランス王国の市民を刺激して、十三年後にフランス革命が起こり、共和国への道を歩み始めるのだった。

一足先に共和国となったアメリカ合衆国では、フランス革命勃発三ヵ月前の四月に、初代大統領ジョージ・ワシントンが就任して、ヨーロッパで起きることには関わらない、西半球志向の外交姿勢を示した。

たまたま七月に起こったとはいえ、いずれも両国民には重要な日付として、語り継がれている。大西洋を挟んでイギリスの十三植民地が一致団結してジョージ三世の治世から独立を果たす契機となった「アメリカ独立宣言」は、十三年と十日後にフランス国民を奮い立たせたのだから、その効果は大きいはずである。

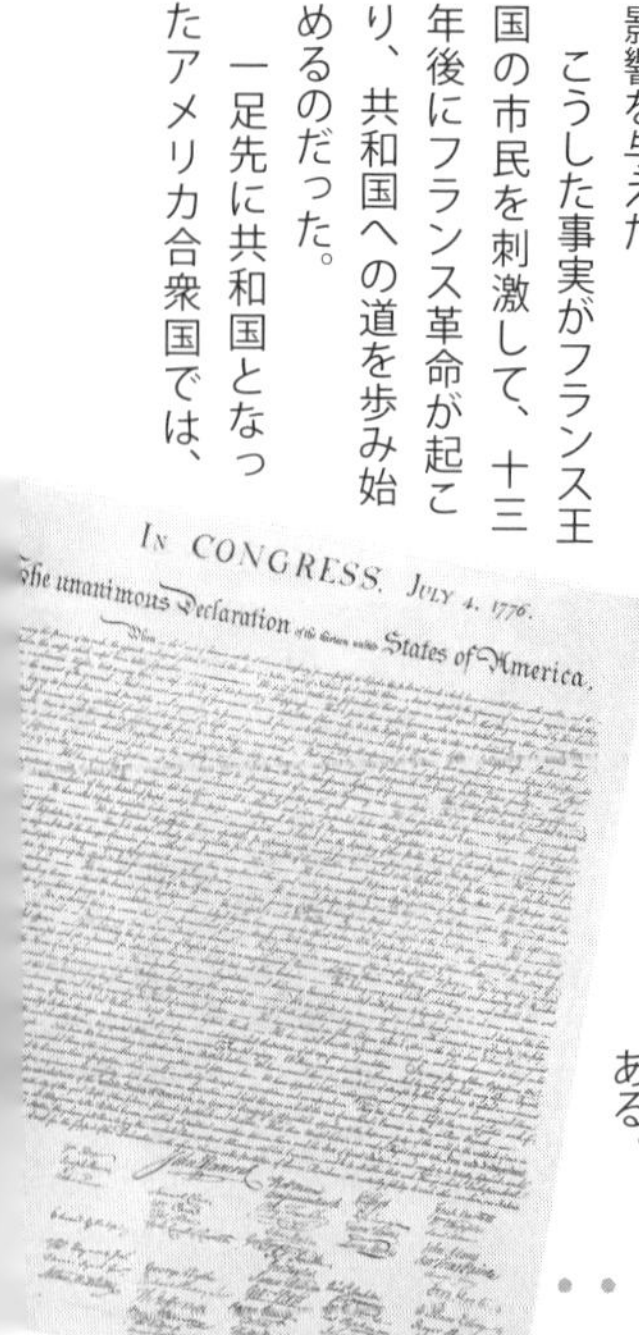

IN CONGRESS, JULY 4, 1776.

The unanimous Declaration

States of America.

「アメリカ独立宣言」ジョン・トランブル画（1819年）。

第二部

弱者から知る現代社会

戦後生まれが総人口の八三%を超えた日本では、戦争は過去のこと、あるいはどこか遠い国の出来事のように思う人がほとんどだろう。戦争や紛争とは無縁な暮らしを七十五年も続けてきた日本では、世界で子どもの十人に一人が、児童労働していることを知る機会も少ないだろう。飢餓、貧困に苦しみ、難民となる世界中の子どもや女性たちの現状を知り、彼らのために活動する人々の存在から自らを考え直す機会としたい。

第一章

飢餓と貧困に苦しむ子どもたち

彼らへ寄り添う気持ちを行動に移すこと

第一節

エチオピアの子どもを餓死から救おう!

♪We are the world

二〇一九年八月は「アフリカ月間」として、横浜市では多彩なイベントが開催された。「〝アフリカ〟に一番近い都市〝横浜〟」というキャッチコピーで、市内各地でアフリカを紹介する行事が続いた。その仕上げが二十八日から三十日の三日間開催された第七回アフリカ開発会議だった。開催場所は、みなとみらい21エリアにある横浜パシフィコだった。

「アフリカ開発会議」とは、英語略称がＴＩＣＡＤで、Tokyo International Conference on African Development という名称で、アフリカの開発をテーマとする国際会議である。一九九三年以降日本政府が主導して、国連、国連開発計画（ＵＮＤＰ）、アフリカ連合委員会（ＡＵＣ）および世界銀行と共同で三年ごとに開催している。前回のアフリカ開発会議（ＴＩＣＡＤ Ⅵ）は、二〇一六年八月二十七～二十八日にケニアの首都ナイロビで開催された。同会議初めてのアフリカ開催となった。

ナイロビと言えば、一九八五年に第三回世界女性会議が開催されたナイロビ会議を思い出させる。一九七五年に国連が定めた「国際婦人年」を記念して、メキシコで第一回会議が開催されて以降、五年ごとに開催されてきた。★1 ナイロビ会議では「国連婦人年」十年間を総括し、「西暦二〇〇〇年に向けた女性の地位向上のための将来戦略」を採択した。あれから三十五年の時が過ぎた二〇二〇年現在、女性の事情もアフリカ事情も変わってきた。

ここで、ナイロビで世界女性会議が開催された一九八五年に戻ってみよう。この年、音楽業界では歴史に残る「事業」が行われた。アフリカ・エチオピアの飢餓が全世界に報告されたことを受けて、救済のために全米の有名アーティストたちが集まって、チャリティ・レコードを制作したのだった。爆発的な売り上げを記録した♪ We are the world である。

前年の一九八四年に、イギリスのアーティストが集ってBAND AID名義で発表した♪ Do They Know It's Christmas? のアメリカ版とされる。このミュージシャンの集合体は、〝United Support of Artists for Africa（アフリカのために団結したアーティストたちの支援）〟と名付けられ、米国の略称ＵＳＡと同じアルファベットのユ

★1　北京で開催された第四回世界女性会議については、一〇九頁を参照されたい。

ニット名となった。この一曲のために総勢五十一人のアーティストが参加した。

当時エチオピアは干ばつに襲われ、多くの餓死者が発生した。その姿を実際に見てきたハリー・ベラフォンテが呼びかけ、マイケル・ジャクソンとライオネル・リッチーが作詞・作曲を担当し、クインシー・ジョーンズ指揮のもとに一ヵ所に集まった大勢の歌手が歴史的な録音を完成させた。マイケル以外にスティービー・ワンダーやレイ・チャールズは、個別録音もして、歴史に残る映像★1を創り上げた。

ここに列挙した六人の男性歌手は、いずれもアメリカ黒人、英語ではAfrican American つまりアフリカから運ばれアメリカ合衆国で奴隷にされたアフリカ人を祖先にもつアメリカ人である。アフリカへの想いは、他に参加した白人たちより強いことは明らかである。一九八五年三月に発売され、当時の人気スーパースターたちの夢の共演となったこの曲は、発売年だけでシングル七百五十万枚、アルバム三百万枚のセールスを記録し、メイキング・ビデオを含むこのプロジェクトの収益は最終的に六千三百万ドルとなった。この曲のアルバム収益はすべて、アフリカ大陸エチオピアの飢餓救済のための寄付金となった。

この録音中の出来事を、NHK番組『アナザーストーリーズ』で、「We Are The World 奇跡の十時間」として伝えていた。長時間に及ぶ録音で、疲れ始めた参加者の気持ちを駆り立てることに焦点を当てていた。彼らの行動への動機付けとして、休憩時間に二人のゲストを呼んだ。一人は、エチオピア出身の女性で、祖国

★1―『We Are The World ザ・ストーリー・ビハインド・ザ・ソング』曲だけでなく、レコーディング風景なども含めたDVDとの2枚組セットもある。

販売元／Happinet

のために歌ってくれるアーティストたちへの感謝を伝えると同時に、祖国の子どもたちの現状を訴えた。声をかけられ参加したが、モチベーションに欠けていた参加者にとって、大きな転換点となり、これ以降の録音は問題なく進んだという。

この歌が世界へ発信されてからちょうど四半世紀後の二〇一〇年一月に、ハイチの首都ポルトープランス近郊で首都直下大地震が起こった。♪We are the world を制作したマイケル・ジャクソンは、その半年前の二〇〇九年六月二十五日に急逝していた。翌月から開始するロンドン公演を目前にした突然の死は、世界中で一大事件のように扱われた。そのマイケルの一九八五年の映像をオマージュとして取り込むことで、二〇一〇年に第一線で活躍するアーティストが一堂に会して、再び♪We Are The World が二十五年ぶりにチャリティ録音されたのだった。二〇一〇年のグラミー賞授賞式の後で新たな♪We Are The World 二〇一〇年版ができあがった。

カリブ海の島の一つハイチで起きた大地震で被害を受けた子どもたちのために、四半世紀ぶりにアーティストたちが立ち上がったのだった。映像には、首都ポルトープランスでの地震被害状況が映し出され、そのような状況ながらカメラに向かって笑顔で手を振る子どもたちの様子を伝えていた。二十五年の時を経て、歌の最後の部分ではヒップホップ調の語りが入り、二十一世紀の音楽を伝えていた。オマージュで映し出される一九八五年のマイケルも、その中に溶け込み、次世代にメッセージを届けているようだった。

第二節

ユニセフ親善大使の役目（一九八四〜）

二〇一九年三月の都内ＪＲの車内広告に、こんな中学入試問題が掲載されていた。「飢餓と貧困をなくすことを使命とする国連の世界食糧計画ＷＦＰによれば、世界では九人に一人が飢えに苦しんでいる。五歳未満で亡くなる子どもの半数は栄養不良が関係する。もしあなたが国連の食糧問題担当者だとしたら、日本の中学生に対してどのような行動をしますか」（傍線は筆者）と。埼玉県某私立中学の入試問題の抜粋だそうである。

小学六年生に向けられたこの問いかけは、単に中学入試に留まらず、全日本人が考えるべきことであり、筆者が向き合う大学生にこそ問いかけなければならない問題である。

国際社会が二〇三〇年までに飢餓を終わらせ食糧安全保障を実現し、栄養状態を改善すると約束しながら、いまだに充分な食糧を得られない状況で生活している人がいる。国際連合世界食糧計画＝ＷＦＰ（World Food Programme）のＨＰには「世界では九人に一人が今この瞬間も飢えに苦しんでいます。国連ＷＦＰは、飢餓のない世界をめざして、毎年約八千万人に支援を行っています」と書き出され、事実を知った人たちからの寄付を募っている。ＷＦＰは、飢餓と闘う世界最大の人道支援機関で、一九六三年設立以来、世界のもっとも貧しい二十億人以上の人々に食糧を提供し、世界の八十ヵ国以上の国々において食糧援助を通して緊急事態に対応し、経済社会開発を支援してきたと公式ＨＰで説明されている。飢餓と闘い、紛争や自然災害などの緊急時に食糧を届けるとともに、途上国の地域社会と協力して栄養状態の改善と強い社会づくりに取り組んでいる。

同じ国連のユニセフ（ＵＮＩＣＥＦ：The United Nations International Children's Emergency Fund）、つまり国際連合国際児童緊急基金での飢餓対策を見るとき、ユニセフ親善大使、黒柳徹子★1の活動を追うことは有効だろう。

「ユニセフを通して子どもたちを救うことは、彼女が親善大使としての任命を受けて以来、黒柳さんのもっとも重要な目標になりました。親善大使就任後は毎年のように、アジアやアフリカ、バルカン諸国などのユニセフの現場を訪問してきました。これらすべての視察の模様は日本で、そして視察した国々で広く報道されてきました。二〇〇〇年十月、ユニセフは、『ユニセフ子どものためのリーダシップ賞』の最初の受賞者として黒柳さんを選び、その功績を称えました」と同ＨＰでは説明されている。

親善大使となって三十年目を迎えた二〇一四年に特集された報告では、三十年間

★1　南スーダン西エクアトリア州ンザラにあるザレダ小学校で、出迎えた数百人もの子どもたちの歓迎を受ける黒柳大使。

©UNICEF South Sudan/2013/Knowles-Coursin

の訪問国がその目的ごとに分けて紹介されているが、その前年二〇一三年の南スーダン報告に先立ってまとめられた映像は衝撃的だった。筆者の講義（歴史入門、アメリカの生活と文化）では必ずこの七分程度の映像を見せている。「百聞は一見にしかず」の通り、受講生は世界の子どもたちの現状に唖然としてしまうのだった。学生たちがもっとも衝撃を受けるのは、五歳なのに栄養失調で歩くこともできないタンザニアの男の子、ベトナム戦争時の北爆で撒かれた枯れ葉剤の影響で目がない状態で生まれてきた女の子、破傷風で瀕死の状態なのに黒柳大使の幸せを神に祈るインドの男の子などが登場する場面である。

拙著『スクリーンに投影されるアメリカ』★1では、二〇〇三年のソマリア報告を詳細に引用した。本書では、第三章第三節「FGM：暴力か文化か」で後述する（一〇九頁）。ここでは「地球上の不平等をなくしたい」と語る黒柳徹子ユニセフ親善大使による、これまでの訪問国を訪問順に挙げておく★2。

一九八四年タンザニア→八五年ニジェール→八六年インド→八七年モザンビーク→八八年ベトナム＋カンボジア→八九年アンゴラ→九〇年バングラデシュ→九一年イラク→九二年エチオピア→九三年スーダン→九四年ルワンダ＋ザイール→九五年ハイチ→九六年旧ユーゴスラビア→九七年モーリタニア→九八年ウガンダ→一九九九年コソボ→二〇〇〇年リベリア→二〇〇一年アフガニスタン→二〇〇二年アフガニスタン→二〇〇三年ソマリア→二〇〇四年コンゴ民主共和国→二〇〇五年

★1 岩本裕子『スクリーンに投影されるアメリカ』（メタ・ブレーン、二〇〇三年）

★2 黒柳徹子公式HP「トットちゃん『訪問国』」https://totto-chan.jp/

インドネシア→二〇〇六年コートジボワール→二〇〇七年アンゴラ→二〇〇八年カンボジア→二〇〇九年ネパール→二〇一一年日本（女川町・山元町・亘理町）ハイチ→二〇一三年南スーダン→二〇一四年フィリピン→二〇一六年ネパール→二〇一七年ミヤンマー→二〇一九年レバノン（延べ三十九ヵ国）

右記三十四年間のうち、一九九七年から二〇一四年の訪問記が『トットちゃんとトットちゃんたち 1997 - 2014』[★3]となった。初期十三年間の訪問記『トットちゃんとトットちゃんたち』は、一九九七年に出版され、二〇〇一年には講談社の青い鳥文庫に収録された。著書名の「トットちゃん」は黒柳の幼少期の呼び名で、偶然にもアフリカで多く使われているスワヒリ語で「トット」は「子ども」の意味だと一九八四年に最初の訪問国タンザニアで知った黒柳は、以下のように書いている。「神様！ありがとうございます。きっと私は、小さい頃から、子どものために働くために生まれてきたんですね」と。最初の訪問記を読んだ読者から届いた「私は子どものために何をしたらいいでしょう」との質問に「知ってください。関心をもってください」と答えたそうである。まさにこうしたことが、現在の世界で、日本でも必要とされているだろう。関心をもち、知ろうとすること。その刺激を与えるための講義を三十年間続けてきた筆者が、講義で学生に積極的に見せているのは、二〇一三年に二十九ヵ国目の訪問先となった黒柳の南スーダン報告である。

★3 黒柳徹子『トットちゃんとトットちゃんたち 1997 - 2014』（講談社、二〇一五年）

第三節　南スーダン「トットちゃんセンター」

先に列挙したように、黒柳親善大使が一九九三年に南北に分かれる前のスーダンを訪問した後、一九九六年に日本からの寄付金で、首都ジュバには子どものための避難所「トットちゃんセンター」が建設されていた。単なる避難所ではなく、「戦争や暴行、レイプなど耐えがたい出来事で負った心の傷を治す」トラウマ・ケア施設である。二〇一三年に訪問した時点で、建設以来十七年間で約二千五百人の子どもが支援を受けたという。

訪問時に、黒柳はトットちゃんセンターで命を助けられた青年（当時二十八歳）と面会していた。十一歳のときウガンダで「神の抵抗軍」に誘拐され、三度目の逃亡で「困ったときはトットちゃんセンター」というポスターを見て、駆け込んできたと話していた。講義で流す映像で日本からの募金で救われたと語る青年を、学生たちは毎回食い入るように観る。まさに「関心をもつ」出発点に立てるのである。

訪問記『トットちゃんとトットちゃんたち 1997 - 2014』の第十五章、南スーダンの章で、最後に彼女は以下のように書いている。「南スーダンの五歳児の三分の一が発育阻害で、四分の一は低体重です。五歳の誕生日を迎えることのできない子どもは九人に一人もいます。（中略）二十年以上続いた内戦は、妊産婦と乳幼児にとって世界で最も危険な国にしてしまった。いったん戦争になったら何もかも破壊されてしまう。子どもたちは親と引き離され、親を失うことだって」と。

ここで、黒柳親善大使が誕生した契機についてまとめておこう。二〇〇九年五月二十日、黒柳ユニセフ親善大使就任二十五周年記念感謝式典が、国連大学で行われた。日本ユニセフ協会HPの報告を抜粋しておく。

式典では、サード・フーリーユニセフ事務局次長、御法川信英外務大臣政務官、谷垣禎一ユニセフ議員連盟会長、緒方貞子国際協力機構理事長[★1]、赤松良子日本ユニセフ協会会長が祝辞を述べた。

黒柳ユニセフ親善大使就任は、当時のユニセフ事務局長ジェームス・グラント（故人）が緒方から紹介されて、黒柳が自身の子どもの頃の思い出を綴った『窓ぎわのトットちゃん』を読んだことがきっかけだった。緒方貞子については、第四章「武力紛争と女性」で詳細に説明するが、彼女は祝辞で、黒柳が二十五年にわたり世界に存在する苦しみを見える形で、日本や世界へ知らせてきた功績を讃えた。

式典では黒柳大使の活動を振り返る映像も上映され、彼女は初めて栄養失調の子どもに出会ったときのことや、難民キャンプで強く生きる子どもたちの話も紹介し

★1　第四章第二節「緒方貞子国連難民高等弁務官とUNHCR」（一二六頁）を参照してほしい。

た。「子どもたちは大人を信じてバナナの皮の下で死んでいくんだよ、というタンザニアの村長さんのお話が忘れられません」と心に残るエピソードも語った。このような機会を与えられたことへの感謝と、これからもユニセフ親善大使としての活動に努力していきたい決意を述べたという。

この三十周年記念映像は、「黒柳徹子のユニセフ報告――三十年の軌跡」として、大きく三部に分かれて紹介されている。まず「飢餓と貧困」として、タンザニア、エチオピア、バングラデシュ、スーダン、モザンビーク、アフガニスタン、ハイチを取り上げ、第二部は「自然災害」、第三部は「紛争・暴力」をテーマとして、イラク、ベトナム、ボスニア、カンボジア、ルワンダ、アンゴラ、ウガンダ、フィリピンのミンダナオ島を取り上げている。

本節の内容は、そのまま第三部第四章「環境破壊防止のゆくえ」につながっていく。

第二章

難民となる子どもたち

戦争、紛争のしわよせは弱者へ

第一節　写真「安全への逃避」（一九六六年）

ノルマンディー上陸作戦

毎年明け早々に、ゴールデン・グローブ賞、二月には音楽の祭典であるグラミー賞、さらにハリウッド映画界最高の祭典、アカデミー賞と、アメリカ合衆国では映画や音楽の授賞式が目白押しとなる。映画は motion picture だが、静止画である picture「写真」に対しては、アメリカ合衆国ではピューリッツァー賞という栄誉が与えられる。

筆者は、「六月六日」が近づく週の講義では一九四四年の「ノルマンディー上陸作戦」いわゆるD・デイの話をする。ヒトラー率いるナチス統治下フランスを解放するべく、後に米国大統領となるアイゼンハワー総司令官の下、連合軍が英仏海峡を渡った。この史実をスティーヴン・スピルバーグ監督が映画化した『プライベート・ライアン』[★1]の冒頭部分を講義では用いる。ハリウッド映画界で、戦争の生々しさを伝えた最初の映画だった。

西部劇でも戦争映画でも、殺戮場面は現実とはほど遠い美化されたものでしかなく、低年齢の子どもが見るに堪える表現に留まっていた。テレビゲーム世代以降の子どもたちは、ゲームのなかで人が死んでも「リセット」できると思いこむ。再生できないかけがえのない「人命」という意識が薄れていた一九八〇年代を受けて、戦争の現実を子どもたちに伝えようという映画が、スピルバーグ監督の『プライベート・ライアン』だった。

米国防省が定めた「唯一の生存者規定」(Sole Survivor Policy)に基づく特命を受けた部隊が、ノルマンディー地方に降下した落下傘兵ライアン二等兵(Private Ryan)救出に向かう物語である。実在した兄弟の逸話に基づいている。一九四四年六月ナチスドイツ優勢の欧州戦線で、戦局を一転させた「ノルマンディー上陸作戦」を描いた作品である。

すでに過去にこの作戦を美化する映画は複数製作されていた。英仏海峡を越えて

★1 原題"Saving Private Ryan"(一九九八年)監督/スティーブン・スピルバーグ

販売元/パラマウント・ホーム・エンタテインメント・ジャパン

北フランスのノルマンディー四ヵ所に侵攻する連合軍のうち、「オマハ・ビーチ」と暗号で呼ばれた海岸に米軍が上陸した。二十分は続く冒頭の戦闘場面は言葉を失う。決して誇張ではなく、あれこそ戦争の現実で、戦争映画のあり方を変えることになった。オマハ・ビーチでは上陸部隊の約半数が戦死したという凄惨な作戦で、スピルバーグ監督はその現実を丹念に伝えたのだった。「私は観衆を舞台に上げ、実戦を見たことがない子どもたちが兵士とともに、オマハ・ビーチの丘を駆け上がってほしかった」と語った。

「戦争の世紀」と呼ばれた二十世紀の末に、戦争の現実を的確に伝えて、反戦を訴える映画がもう一本つくられた。二十一世紀初年に公開された『スターリングラード』[★2]で、米独英愛四ヵ国合作の戦争映画である。第二次世界大戦時にソ連の狙撃兵として活躍、「伝説のスナイパー」として実在したヴァシリ・ザイツェフを主人公に、当時のスターリングラード（現ヴォルゴグラード）における激戦「スターリングラード攻防戦」（一九四二年六月〜一九四三年二月）を描いたフィクションである。史上最大の市街戦となり、動員兵力、犠牲者、経済損失も莫大な規模に拡大し、ドイツ軍の大敗北となった。

冒頭のヴォルガ川を渡る戦闘場面は、『プライベート・ライアン』の冒頭部分に匹敵する地獄絵図となっていた。「肉弾特攻作戦」と呼ばれる戦術で、人海戦術どころか人命をゴミのように捨てる「塵芥戦術」となっていた。戦争の現実から目を

★2　原題"Enemy at the Gates"（二〇〇一年）監督／ジャン＝ジャック・アノー

販売元／日本ヘラルド映画

背けることなく直視することで、「二度と戦争を起こさない」という決意を後世の人々に促したこれらの二本の映画は、ベトナム戦争を契機に製作された反戦映画とは立場を異にしつつ、次世代に戦争の無意味さを訴える点では共通していた。

キャパにあこがれた戦場カメラマン

Ｄ・デイをテーマとする講義で、必ず見せる写真は、激戦地「オマハ・ビーチ」に同行した戦場カメラマン、ロバート・キャパの「ちょっとピンぼけ」★1である。この写真を見たことがある学生は少ないが、キャパにあこがれた日本人戦場カメラマン沢田教一の「安全への逃避」★2を見せると、様子は一変する。高校の教科書に出ていたらしく、見たことがある反応をする学生は多い。ただ、この写真の意味をしっかり理解しているわけではない。

「安全への逃避」と題されたこの「写真」がベトナム戦争の悲惨を伝えていることを教えると、学生たちは、知識を基に「写真」を見ることの意味を実感する。「百聞は一見にしかず」を痛感し、「写真」の底力を痛感する瞬間でもある。戦火に見舞われた村から避難するために、水に浸かりながら必死で河を渡ろうとする二組の母子を画面いっぱいにとらえたその写真は、戦争の切迫した惨状を伝えると同時に、写真家自身の人間への視線や弱者に対する心情を伝えていて、沢田教一の代表作となった。沢田は、この写真を撮った五年後、一九七〇年十月にプノンペン近郊で取材中に

★1　ロバート・キャパ（川添浩史・井上清一訳）『ちょっとピンぼけ』（文春文庫、一九七九年）

★2　「安全への逃避」の前に立つ沢田。

銃弾を浴びて死亡した。死去翌年に、カンボジアでの一連の取材に対して、ロバート・キャパ賞が授与された。戦場カメラマンは報道写真家のうち、特に戦闘や紛争の行われている地域で戦争や戦闘員、戦争による被害、被害者などを取材するカメラマンで、つねに危険と背中合わせの仕事である。沢田があこがれたキャパ自身も、一九五四年にメコン・デルタで取材中に地雷に触れて爆死していた。

「安全への逃避」のその後

一九六五年に「安全への逃避」は、ハーグ第九回世界報道写真コンテスト大賞、アメリカ海外記者クラブ賞、ピューリッツァー賞を受賞した。それから半世紀以上経った二〇一七年八月に、写真展「写真家　沢田教一展――その視線の先に」（朝日新聞社主催）が開催された。新聞記事の見出しには、「〈写真が戦争を終わらせる力に〉沢田教一展開幕」とある。会場には、ベトナムの古都フエでの市街戦など戦争の悲劇をはじめ、妻のサタさんや故郷の青森を写した約一五〇点の写真とともにカメラなどの遺品約三〇点も展示されていた。

「安全への逃避」の写真で、母親に抱かれて写真に写った当時二歳のグエン・ティ・フエさんも初来日し、開会式に同席した。「あのとき、沢田さんがポケットから出したハンカチで私の涙を拭いてくれたことを母から聞いた。写真が戦争を終わらせる一つの力になったと思う」と語った。妻のサタさんは「戦場だけではなく、風景や子どもの写真も展示されるのは沢田の望み。戦争カメラマンではなく、写真家と呼ばれたがっていた。喜んでいるだろう」と挨拶した。

「安全への逃避」の翌一九六六年のハーグ世界報道写真展では「泥まみれの死」が第一位、「敵を連れて」が第二位を獲得するなど、沢田教一の写真への評価はどんどん高まったが、その四年後の「戦死」となったのだった。

第二節

地中海沿岸のシリア難民男児

二〇一五年九月二日、世界を震撼させる写真が欧州主要紙一面トップに掲載された。★1 地中海沿岸、トルコのリゾート地ボドルムの海岸に遺体が打ち上げられた幼いシリア難民男児の痛ましい写真は、世界に衝撃を与え、ヨーロッパの難民危機でどれだけの多くの人が犠牲になっているかを浮き彫りにした。この少年は、トルコの町ボドルムからギリシャのコス島をめざすボートに乗っていたが、ボートが転覆して、その後海岸に打ち上げられたのだった。

★1 欧州難民危機と言われた二〇一五年、シリア難民男児の痛ましい写真が各国新聞の一面で報道された。

二〇一四年後半、少年一家が住むコバニの町がクルド人勢力と過激派勢力「イスラム国」（ＩＳ）の戦闘の中心地になってしまった。一家は、数万人の住民とともにトルコへ脱出し、トルコの国境を越えることで避難はできたが、難民としての資格は伴わなかった。シリアの周辺国で難民危機に正式に対応したのは、トルコが最初だった。

二〇一一年十月に、一時的な保護政策を導入し、シリア難民は帰国させないと約束した。この保護政策のもと、パスポートをもつシリア人はトルコに一年滞在でき、移動も認められた。だが旅券などの書類がないと、難民キャンプに登録しそこに留まるか、違法滞在者としてキャンプ外にいるしかない中途半端な状態だった。

トルコのメディアは、この少年をシリアのアイン・アル＝アラブから来た三歳の少年クルディ君だと確認し、同じボートに乗っていた生存者によれば、四人の子どもと一人の女性を含む十二人が死亡し、七人が救助されたという。紛争を逃れてヨーロッパに向かう難民たちが、命の危険にさらされている現実の一端である。二〇一五年だけで、シリア、アフガニスタン、エリトリアといった国々から、毎日数千人がヨーロッパの国々への渡航を試み、国際移住機関によれば三十五万人以上の人々が地中海を渡ったとされる。

赤十字国際委員会は、九月二日に「難民には、危険を冒してギリシャやイタリアへ不法に旅する以外、選択肢がないのです。今年だけで約二十万人もの難民がギリシャへ逃れてくるだろうと考えられています。ヨーロッパの政策が変わらない限り、さらに多くの人命が失われることは避けられないでしょう」と声明を出した。

一週間前の同年八月二十七日には、オーストリアの道路脇に鶏肉の冷凍輸送トラックが乗り捨てられていた。隣国ハンガリーに密入国させられて間もなく、トラックの中で窒息死したシリア、イラク、アフガニスタンからの難民たち七十一人だった。こういった悲劇を受け、世界中の人権団体はヨーロッパ各国首脳に、適切な対策をとるよう求めた。

それから四年が過ぎた二〇一九年十一月、同様のニュースが伝えられた。ロンドンで、トレーラーの冷凍コンテナから三十九人の遺体が見つかった事件で、全員がベトナムからの密航者だと伝えられた。難民でないものの、四年前を思い出させる痛ましい事件である。

欧州に百万人を超える難民が流れ込んだ二〇一五年の欧州難民危機で、トルコ側の国境管理が厳しくなったため、さらに危険なルートをとる難民・移民が増え、死亡者が激増した。国境を閉鎖し、国境管理を強化すると犠牲者を押し上げてしまうのが現実だった。

第三節

中米「移民集団」キャラバン

英語の「キャラバン」（caravan）は、ペルシャ語の「カールワーン」からきた表現で「隊商」を意味する。通商と聖地巡礼などを目的とするが、アジアやアフリカの荒野を旅する商人は、さまざまな危険を覚悟しなければならなかったので、多数で集団をつくり、危険に備える必要があった。アジア・アフリカ大陸を移動して交易したキャラバンによって、東西の物資が交流し、文化も伝播された。その最も有名なものは「シルク・ロード」だろう。

ところが、本節で言及する「キャラバン」は、隊商でも文化交流でもない、一方的な「北上」を意味する。大陸もアジアではなくアメリカ大陸の話で、治安悪化や貧困による苦難を逃れ、ホンジュラスなど中米諸国からアメリカ合衆国をめざす移民たちの集団である。★1

「事件」は、二〇一八年十月に発生した。「キャラバン」が出発して三週間以上が経過し、ついに国境の町、ティファナに第一陣が到着した。受け入れ国となるはずのアメリカ合衆国では、「メキシコとの間に壁を作る」「費用をメキシコ人に払わせ

★1　ホンジュラスやグァテマラ、メキシコからアメリカ合衆国に向けて移動する「移民キャラバン」。

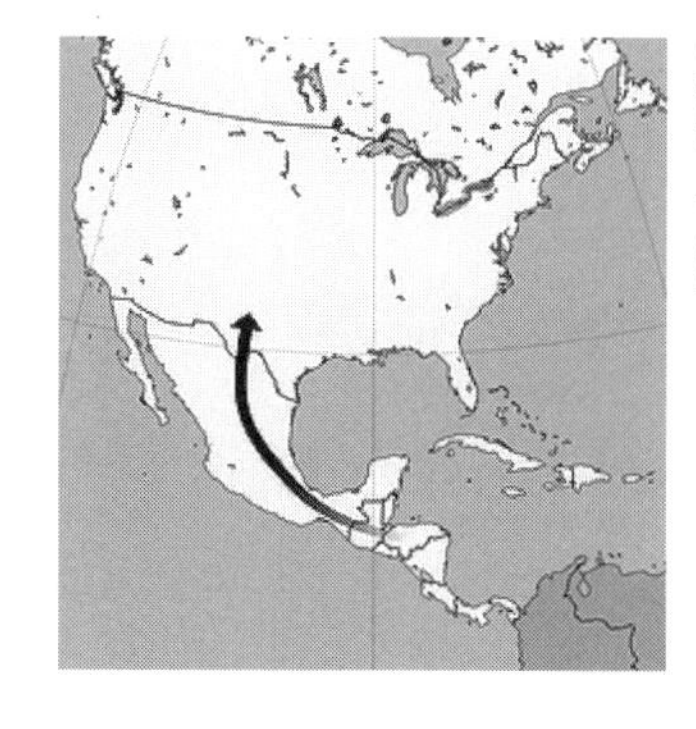

る」と豪語して大統領に当選してしまったドナルド・トランプが、「キャラバン」を受け入れることなどあり得ない話だろう。合衆国政府は、国境地帯に州兵などを派遣し、不法な越境への警戒を強めた。祖国に絶望し、生命を賭け、アメリカ移住に希望を託すキャラバンの人々のことを、ただ拒絶するだけでよいのかと、二〇一八年十一月のアメリカ合衆国は、移民への対応をめぐって揺れ続けた。

こうした事態を経て、「キャラバン」の定義は、「中米諸国で発生する移民もしくは難民の大移動」となってしまった。年が明けた二〇一九年になって、主にホンデュラス、エルサルバドル、グアテマラ等の中米諸国から北米をめざして移動している「移民キャラバン」の動きに注目が集まった。

国境地帯でメキシコ側にいるキャラバンには、一般的に言えば米国に入国する権利はないので、たとえ何らかの方法で入国できたとしても、難民条約上の「難民」と認められる人はごく一部に限られる。合衆国内で庇護申請しても、数ヵ月ないしは数年の庇護審査期間を経て、最終的には母国に強制送還される人が圧倒的大多数になると言われる。せっかく数週間、数ヵ月も苦労して長距離を決死の思いで移動してきたのに、時間とお金と労力を無駄にしただけで、結局は母国に帰るしか道はないのだろう。

二〇一九年二月、アメリカへの亡命をめざした移民集団「キャラバン」の約二千人が、自国に戻る、もしくは就労許可を得てメキシコに留まることを選んだ、と『ニユーヨーク・タイムズ』がメキシコ政府のデータを引用して報じた。同紙によると、約六千人のキャラバンのうち、約千人がメキシコ政府の支援を受けて自国に戻ることを選び、約千人が就労許可を得てメキシコに留まるということだった。

トランプ政権はアメリカで亡命申請をする移民の数を減らすため、一日の申請件数に上限を設けたり、資格基準を厳しくしたり、一部の移民に対して申請の手続き中もメキシコに留まるよう求めるといった政策をとってきた。合衆国への入国を断念した一部キャラバンの決断は、トランプ政権の政策が彼らの行動に影響を及ぼしたことを示している。トランプ大統領は二〇一九年二月十五日（現地時間）、国境沿いの壁の建設費用を確保するため、国家非常事態を宣言した。法律の専門家たちは、法廷闘争になる可能性や悪しき前例をつくる可能性があると指摘した。

トランプが「壁、壁」と叫ぶように、中南米諸国から米国をめざす移動は決して最近の話ではない。隣国メキシコとは、リオ・グランデという河が国境なので、河を泳いで渡って密入国するメキシコ人労働者は多かった。渡りきったら、必死で走って合衆国内に入る必要があり、猛ダッシュで走るうちに河の水で濡れた身体の前面は乾き、背中だけが濡れたまま、という意味から、彼ら不法移民は、ＷＥＴ　ＢＡＣＫと呼ばれた。

第二次大戦中から農業に従事する労働力として、メキシコから短期労働を受け入れる「ブラセロ計画」という政策があり、合衆国にとっては貴重な労働力の供給源となったが、短期労働をしたメキシコの人々が非合法移民として再び合衆国内に住むケースも頻発した。一九五四年には、「不法移民一掃作戦（Operation Wetback）」と銘打ったメキシコ人を対象とする厳格な移民規制も導入されることになった過去もある。

こうした受け入れと排除のパターンはその後も続き、一九八〇年代からはメキシコ系労働者がアメリカの農業などを下支えしてきたが、メキシコ系の急増、特に非合法移民の急増は、二十一世紀に入って、外国人排斥を声高に叫ぶトランピズム（Trumpism）につながってきたのだった。自国の利益を最優先するアメリカ第一主義の立場から、既存の政策の枠組みや国際合意を否定する一連の言動や、文化的多様性に対する非寛容な態度を示すことを、「トランプ主義」つまり、「トランピズム」と称したのだった。

「キャラバン」で母国を離れざるを得ない人々と、それをかたくなに拒否しようとする隣国という図式に、「グローバリズム」などという言葉は絵空事でしかない。

第三章

イスラム教徒の女性たち

「女性であること」の意味を問う

第一節

「少女たちに教育を」"Let Girls Learn"

二〇一五年三月十八日、ミシェル・オバマ（当時）大統領夫人が三日間来日した。二〇一四年四月にバラク・オバマ大統領が「国賓」として訪日したときには、夫人は娘の学校行事を理由に同行せず、今回が初来日となった。

ミシェル夫人訪問の目的は、女子教育の重要性を訴えることや、合衆国政府系のボランティア組織「ピースコー：Peace Corps（平和部隊）」と日本の青年海外協力隊の連携を通じて、日米の協力強化を促すことだった。平和部隊は一九六一年、ケネディ大統領によって提唱された組織で、開発途上国へ隊員を派遣して、開発援助することを目的としている。現在まで多くのアメリカの若者たちが、世界の平和のために世界各地の開発途上国で積極的な活動を続けてきた。

ミシェル夫人は三月十八日から二日間東京に滞在して、二十日に京都を訪問した後、同じ目的でカンボジアを訪問した。世界各地で女子教育への支援を拡大することが、ファーストレディ、ミシェル夫人の大きな「使命」だった。それだけ世界各地で教育の機会に恵まれない女子が多いのである。女子教育を訴えたために、過激派組織に襲撃されたパキスタンの少女、マララ・ユスフザイのことは、次節で説明する。

ミシェル夫人初来日の模様を、テレビ朝日の番組「報道ステーションSUNDAY」が特集して三月二十二日朝に放送した。その特集放送前日に、筆者は二十分ほど取材を受け、収録されたうちの一分足らずが特集最後の部分で使われたので、余談ながらその顛末を記しておこう。

取材依頼がきた理由は、私の著作に二〇一〇年に出版した『語り継ぐ黒人女性――ミシェル・オバマからビヨンセまで』[★1]があったためで、三年後に出版した『物語アメリカ黒人女性史（1619－2013）――絶望から希望へ』[★2]では、ミシェル夫人の展望を描くことで「物語」の結語としたのだった。

二〇〇九年一月以来ファーストレディとして、アメリカ大統領一家の住まい「ホワイトハウス」の女主人となったミシェル・ラボーン・ロビンソン・オバマは、「奴隷の子孫」だった。黒人で初めてのアメリカ大統領と騒がれたバラク・オバマは、アメリカ白人の母親とケニア人（アフリカ黒人）の父親を両親にもち、人種的には

★1　岩本裕子『語り継ぐ黒人女性――ミシェル・オバマからビヨンセまで』（メタ・ブレーン、二〇一〇年）

★2　岩本裕子『物語　アメリカ黒人女性史（1619-2013）――絶望から希望へ』二六四～二九〇頁（明石書店、二〇一三年）

黒人だが、アメリカ黒人の血縁はない。ただ、この夫妻の娘たち二人は、母親の血を受けるので、「奴隷の子孫」になる。

イギリス人が入植した最初の植民地ジェームズタウンに、一六一九年にアフリカから初めて二十人のアフリカ黒人が奴隷船で運ばれてきた。この二十人の中に三人のアフリカ女性が含まれていた。彼女たちが、ミシェルに至るアメリカ黒人女性（African American woman）の「はじめて」となる。黒人音楽ヒップホップ（Hip Hop）の源流は、アメリカ黒人史初年一六一九年までさかのぼるのである。

マララ・ユスフザイ国連平和大使

二〇一九年三月二十二日に、史上初の未成年でノーベル平和賞を受賞したマララ・ユスフザイ★3が、東京で行われる第五回国際女性会議WAW（World Assembly for Women）で基調講演を行うために初来日したニュースが入った。三月は女性月間★4で、こうした会議が開催される意味は深い★5。

マララ・ユスフザイは一九九七年七月十二日に、パキスタン北部でイスラム教スンニ派の家庭に生まれた。父親のジアウディン・ユスフザイは地元で女子学校の経

★3 Malala Yousafza（1997 -）。写真は二〇一三年フランス・ストラスブールでのサハロフ賞授賞式のもの。

★4 女性月間とは三月八日が「国際女性の日（International Women's Day）」に由来する。

★5 本文とは直接関係はないが、同じく二〇一九年の三月時点の、世界一九一ヵ国における女性議員の割合および国際比較統計が発表された。日本は一四四位と先進国では最下位。北朝鮮からも十位以上引き離されている。

営をしており、娘のマララは彼の影響を受けて学校に通い、数学が苦手ながら医者をめざしていたという。二〇〇七年に武装勢力パキスタン・タリバーン運動（ＴＴＰ）は一家が住むスワート渓谷の行政を掌握し、恐怖政治を開始した。特に女性に対して教育を受ける権利を奪っただけでなく、教育を受けようとしたり推進しようとする者の命を優先的に狙うような状況だった。

二〇〇九年、十一歳のときにＴＴＰの支配下にあったスワート渓谷で恐怖におびえながら生きる人々の惨状を、ＢＢＣ放送の依頼でＢＢＣのウルドゥー語のブログにペンネームで投稿を始めた。そこで、タリバーンによる女子校の破壊活動を批判し、女性への教育の必要性や平和を訴える活動を続け、英国メディアから注目された。ＴＴＰがパキスタン軍の大規模な軍事作戦によってスワート渓谷から追放された後、パキスタン政府は彼女の本名を公表し、「勇気ある少女」として表彰した。その後、パキスタン政府主催の講演会にも出席し、女性の権利などについて語っていたが、これに激怒したＴＴＰから命を狙われる存在となったのだった。

二〇一二年十月九日、通っていた中学校から帰宅するためにスクールバスに乗っていたところを、複数の男がバスに乗り込んできて銃撃、頭部と首に計二発の銃弾を受けた。彼女は首都イスラマバード近郊にある軍の病院で治療を受け、十月十五日、さらなる治療と身の安全確保のため、イギリス・バーミンガムの病院へ移送されたのだった。イギリスでの治療の甲斐あって快癒し、翌二〇一三年の年明けに、十五歳でシモーヌ・ド・ボーヴォワール賞を受賞した。さらに同年七月十二日、国際連合本部で演説し、銃弾では自身の行動は止められないとして教育の重要性を訴えた。このとき国連は、マララの十六歳の誕生日である七月十二日を「マララ・デー」と名付けたのだった。同年十月十日にはフランス・ストラスブールでサハロフ賞[★1]を受賞した。

この年にすでにノーベル平和賞候補の声が上がっていたが、一年後の翌二〇一四年に受賞した。本節冒頭で表現したとおり、十七歳でのノーベル賞受賞は史上最年少記録となった。二〇一七年四月十日には、ニューヨークの国連本部で国連平和大使に任命され、十九歳で国連平和大使となり、再び史上最年少国連大使となったのである。

こうしてマララ本人のみが讃えられるだけではなく、二〇一三年十二月、ユネスコとパキスタンは、就学機会を奪われた女子教育を支援する「マララ基金」設立を発表した。二〇一五年七月にはシリア難民の少女を対象として、レバノン東部のベカー平原に学校を開設した。この学校の開校にあたっては「マララ基金」から資金拠出された[★2]。

日本でも、すでに二〇一二年からマララの活動に支援を表明してきた「子どもとともに地域開発を進める国際ＮＧＯ[★3]」がある。「プラン・インターナショナル」（以下「プラン」と略記）という団体で、同じく女子の権利と教育を応援する団体として活動し、ウェブ上でマララ来日を伝えていた。彼女と同様の活動団体のＨＰを参照しながら、世界の子どもたちの現状、女子教育の現状についてまとめておきたい。

★1　人権と思想の自由を守るために献身的な活動をしてきた個人や団体をたたえる賞。

★2　マララ・ユスフザイに関する資料は、【項目別参考文献】として巻末に挙げた（二三三頁）。

★3　非政府組織＝non-governmental organizations

世界では、いまだに二億人の子どもたちが教育を受けられず、そのうち六五％を占める一億三千万人が女子で、世界の非識字成人人口の三分の二は女性である。途上国では、女子は家事労働の担い手、男子は収入を得る働き手、という刷り込みが強くあり、十代で望まない結婚をさせられる女子が多くいる。プランは地域や学校を拠点に、女子教育の必要性を説き、意識啓発や、男女別トイレの建設、女性教師の育成、ジェンダーに基づく暴力をなくすための活動などを行っているという。★1

「男女別トイレ建設」関連で、筆者が講義でよく学生にする質問「十一月十九日は何の日？」に触れたい。十一月十九日は「世界トイレの日」★2である。以下に『日本大百科全書（ニッポニカ）』の説明を抜粋しておく。

「トイレにまつわるタブーを打破し、下水処理や屋外排泄(はいせつ)の根絶など、多岐にわたる公衆衛生上の課題を提起して、その政策化を促進するために定められた日。世界的な公衆衛生運動に取り組むNGO世界トイレ機関（WTO：World Toilet Organization）が、二〇〇一年十一月十九日に設立されたことにちなむ。（中略）二〇一三年七月の国連総会で、毎年十一月十九日を国連「世界トイレの日」とすることが、正式に定められた。国連児童基金（UNICEF：ユニセフ）と世界保健機関（WHO）が発表した報告書『衛生施設と飲料水の前進2013』によれば、二〇一一年末の時点で、世界人口の三割を超える約二十五億人が衛生的なトイレを使用できない状態にあり、このうち、十億人余りは屋外で排泄している。こうした状況

★1　「Because I am a Girl キャンペーン」を展開したことでも知られる「プラン・インターナショナル」については、以下を参照されたい。
https://www.plan-international.jp/about/history/

★2　本書第三部「世界トイレの日」（一八一頁）でも改めて言及する。

が河川や土壌を介して病気を引き起こす原因ともなり、一日千六百人もの五歳未満の子供（ママ）が下痢によって命を奪われていると、国連児童基金は推計している」

この活動を積極的に進めているプランは、マララ来日に合わせてマララ関連の書籍『わたしは女の子だから——世界を変える夢をあきらめない子どもたち』★3を出版した。プランによるグローバルキャンペーン「Because I am a Girl（わたしは女の子だから）」の立ち上げに関わった成果の書籍化だが、性差別をなくして女の子の権利を守り、貧困から救うためのこのキャンペーンは、二〇〇七年から実施されてきた。書籍紹介ＨＰでもマララのことを「『一本のペン、一冊の本が世界を変える』との信念のもと、すべての子どもたちが教育を受けられるようにと精力的な活動をつづけるマララさんは、自分の未来を切り拓こうとする女の子たちのシンボル的な存在となっています」と紹介する。

二〇一九年三月二十三・二十四日に東京で開催された「第五回　国際女性会議ＷＡＷ！」で基調講演し、「女性が将来活躍するために、指導者は女子教育に投資しなければならない」と訴えた。★4マララは「私は学校に通うことができていない一億三千万人の少女を代表してここにいる」と強調し、女子教育を支援する「マララ基金」の創設者として、「世界中のすべての少女が中等教育まで終えれば、三十兆ドルの経済効果がある」と説明した。また、六月に大阪で開かれる二十ヵ国・地域首脳会議（Ｇ20）に向けて「Ｇ20に新たな資金提供をお願いしたい。女性に投資す

★3　Rosemary McCarney 他『わたしは女の子だから——世界を変える夢をあきらめない子どもたち』（西村書店、二〇一九年）

★4　「マララさん『女子教育に投資を』——初来日で講演」時事ドットコムニュース（二〇一九年三月二十三日配信）

ることで、私たちの想像を超える大きなことができる」と述べ、各国指導者に女子教育への経済支援を呼びかけたのだった。

マララに関する書籍や絵本は、巻末の参考文献一覧にまとめたように多数だが、今後も続々と出版されることだろう。ドキュメンタリー映画『わたしはマララ』★1は、アカデミー賞受賞ドキュメンタリー『不都合な真実』★2（二〇〇六）を監督したデイヴィス・グッゲンハイム監督の作品である。「〝ふつう〟の女の子が、世界を変えようとしている」の宣伝文句ですでにDVD化され視聴可能である。筆者が講義でマララをテーマに話をするときに使う映像は、ノーベル平和賞受賞前の二〇一四年一月八日に放送されたNHKクローズアップ現代「十六歳 不屈の少女マララ・ユスフザイ」である。

「一人の子ども、一人の先生、一冊の本、一本のペンが世界を変えることができます」と語る二〇一三年の、マララの誕生日の国連でのスピーチを映し出しながら、彼女がここに立つまでの経緯を写す映像が冒頭七分程度放送されたが、この部分を筆者の講義では学生に見せている。国谷キャスターによるインタビューも大変刺激的だが、二十六分間の番組全部を見せる余裕はない。ネット検索すれば、この番組の動画配信サービスがあるようで、興味をもった学生にはネットで見るように伝えることにしている。

マララをきっかけに、世界の女性の状況、子どもの現状を自ら学びとろう、行動に移そう、という気持ちになる学生を育てたい。

★1　DVDだけではなく、同名の書籍もある。左は上映時のチラシ（表裏）。

★2　DVDはコレクターズコレクションなど複数ある。環境問題を扱った内容に関しては、本書一七五頁参照。

販売元／パラマウント ホーム エンタテインメント ジャパン

第三節

FGM／暴力か文化か

FGMを語り継ぐ

イスラム世界では、女性性器切除（FGM／Female Genital Mutilation）という「風習」を受けている女性たちがいる。筆者が初めてFGMに言及したのは、拙著『スクリーンに見る黒人女性』★3で、映像『戦士の刻印——女性性器切除の真実』を紹介した「シスターフッドとアフリカへの想い」の章だった。

この前章では「黒人社会の内部告発」という章題で映画『カラーパープル』を論説した。この映画の原作者であるアメリカ黒人女性作家、アリス・ウォーカーが一九八二年に書いたピュリッツァー賞受賞小説だった。この小説で暗示的に表現されたFGMについて、アリス・ウォーカーは一九九二年に小説『喜びの秘密』を発表した。この小説に基づいて、翌九三年には彼女自身が映像『戦士の刻印——女性性器切除の真実』★4を制作したのだった。

FGMが西欧世界に周知されたのは、一九九四年にカイロで開催された国連国際

★3 岩本裕子『スクリーンに見る黒人女性』（メタ・ブレーン、一九九九年）九八～一〇八頁参照。

★4 『戦士の刻印——女性性器切除の真実』（一九九三年）製作総指揮／アリス・ウォーカー

ビデオ発売／スタンスカンパニー

人口・開発会議で『戦士の刻印』が上映されたときだった。さらに翌年九五年には、北京で第四回世界女性会議が開催され、上映された。女性の地位向上をめざして五年ごとに開かれるこの会議では、女性の性の権利（セクシュアル・ライツ）の問題が重要な論点となり、性および家族に関して独特かつ保守的な価値観を主張するバチカンおよびイスラム諸国と、革新的立場を主張する先進国との間で意見が対立した。採択された「北京宣言」には、ジェンダー（社会的文化的性別）、リプロダクティブ・ヘルス（性と生殖に関する健康）、セクシュアル・ライツなどの観点が盛り込まれたのだった。

北京会議から四半世紀経つ現状を示す前に、そもそもＦＧＭとは何なのかを説明しておく。ＦＧＭの起源は不明だが、二千年以上も前に中東からアフリカ大陸に広まった「慣習」と言われてきた。医学的ではない理由による女性の外部性器の一部、または全部の切除、その他女性性器への損傷を行うのである。大量出血や排尿、妊娠、出産への障害といった女性の身体に大きな負担をかけるばかりか、破傷風などの感染症や精神的疾患の惹起のほか、性行為時の痛みなどが挙げられ、最悪の場合は死に至ることもある。

古代エジプト時代にはすでに始まっていたとされる説もあり、実行時期は主に乳児期から十五歳ごろまでの間で、生後数日で行われる場合もある。多くは地域の長老など医療的な訓練を受けていない女性によって行われ、伝統的な医療従事者、薬草師、当女性の親戚なども実行者となりうる。

FGMの現状は減少傾向か？

　FGMという事実を知らされた西洋世界の研究者たちは、自らすべきことを模索するようになった。一九八〇年「国連女性の十年」コペンハーゲン中間会議のNGOフォーラムで、FGM廃絶を訴える分科会が主催された。このフォーラムでは、西洋のフェミニストとアラブ・アフリカのフェミニストの対立が表面化した。アラブ・アフリカの女性たちの実情を、西洋世界から発言することに対して、アラブ・アフリカのフェミニストにとっては決して甘んじて受け入れられることではなかったはずである。ところが一転して一九九五年の北京会議では、アラブ・アフリカのフェミニスト自身がFGM問題について数多くのフォーラムを開いたのだった。★1

　二〇一六年国連児童基金（UNICEF）のデータに基づけば、世界の約三十ヵ国で行われ、地域的に見るとアフリカ、中東、アジアの国々に多い。現在それらの国々で少なくとも二億人の女性がFGMを受け、毎日約六千人の女性がその対象になっていると考えられる。世界人権宣言第二十五条を基に世界保健機関（WHO）やユニセフによって、女性や子どもに対する人権侵害であるとの主張が続けられている。

　大阪大学を拠点とするメディア研究機関（GNV：Global News View）によれば、実行率は近年減少傾向だという。十四歳までの少女二〇万八千一九五人を対象に、

★1　「FC／FGM論争再考」額田康子（大阪府立大学二〇一〇年博士論文 http://hdl.handle.net/10466/11616

一九九〇年から二〇一七年にかけてアフリカ二十九ヵ国、中東二ヵ国（イラク、イエメン）でＦＧＭ実行調査が行われたらしい。それによると、特に減少が顕著だった東アフリカでは、一九九五年から二〇一六年の間に七一・四％から八％に減少した。また北アフリカでは一九九〇年から二〇一五年の間に五八％から一四％に、西アフリカでは一九九六年から二〇一七年の間に七三・六％から二五・四％に減少した。どの地域も十〜十五年の間に四〇％以上減少しているとのことである。★1

黒柳親善大使 ソマリア報告

筆者は『スクリーンに見る黒人女性』出版の四年後に、「九月十一日以降のアメリカを考える」ことをテーマに『スクリーンに投影されるアメリカ』を出版したが、当然イスラム世界のことは重要な論題になった。「イスラム教を映画に学ぶ」の章題で副題を「世界に通じる強者と弱者の構図」として、九・一一を引き起こしたイスラム教徒たちの論理を明らかにした。そのなかで「逃げ出すことのできないイスラム世界の女性たち」の項目において、ＦＧＭを取り上げた。ユニセフ黒柳親善大使が二〇〇二年に訪問したソマリアに関して、第二部で後述するとしたのは、本章のことである。

アリス・ウォーカーの『戦士の刻印』旋風が吹き荒れてから八年が過ぎた二〇〇二年、日本のお茶の間にもう一度ＦＧＭという事実を知らせる報告が流れた。「地球上の不平等をなくしたい」という黒柳徹子ユニセフ親善大使によるソマリア報告である。「ア

★1 『Global News View：女性性器切除（ＦＧＭ）の激減――その背景には？』（Wakana Kishimoto、二〇一九年四月四日）http://globalnewsview.org/archives/9407

フリカの角」と呼ばれる位置にあり、領土は日本の一・八倍あるソマリアは、一九九一年にバレ政権が崩壊して以降は無政府状態で、紛争や貧困にあえいでいた。「紛争最前線」「世界の孤児」「国全体が難民キャンプ」と称されるこの国を黒柳大使が訪れた理由は、「女性性器切除と捨て子の多い国」だからであった。ＦＧＭというテーマのために、子どもたちではなく三つのグループの大人たちと対談したのだった。

まず、ＦＧＭ撲滅運動をしている団体、イブ女性協会の反対派の女性たちから話を聞いていた。三十五歳で生理がなくなったという女性は、「立ち上がるだけでフラフラする」と語り、黒柳大使の質問に対して「性交に喜びは全くないが、男性と一緒にいなければ暮らしていけないのがこの国だから仕方がない」「娘には受けさせたくない」と語った。二十年間ＦＧＭを行ったという助産婦も、今は反対派として活動して「人間にとってよくないことだとわかったので止めた。宗教に反している」と語っていた。

他方、ＦＧＭ続行派の女性たちへのインタビューで、三十年間助産婦をしてＦＧＭを行ってきた女性たちは、「結婚式は収入源。初夜を迎えるため縫ったところを切るから」と話した。生活のために必要だからＦＧＭを続行させる、という立場をとっているわけで、「他の仕事が得られれば止めるか」との質問に、全員が「別の仕事があれば止める」と答えていた。守り通したい「風習」ではないことは明らかなようである。

さらに最後のグループに男性が登場する。イスラム教指導者ということだった。

「一切宗教とは関係ない」「FGMを受けている女性は犠牲者」「人間に対する犯罪」「施術師は犯罪者」という言葉が次々と口をついて出た。カメラを向けられたがゆえの発言かもしれないが、非常に良識的で、西欧側の反対派と全く同様の意見を並べていた。しかし、男性中心社会、女性が経済的に自立できない社会、というFGMが続く最も重要な論点には触れられていなかったことは残念である。この男性の言葉で確認できるのは、イスラム教とは無関係、という点であろう。

一九九五年当時、西欧世界からの反対運動が大きく起こったにもかかわらず、結局FGMは廃止されることもなく、九五年当時でニュース報道していたはずのテレビ局でも、八年を経た黒柳徹子報告をまるで初めて耳にするかのような報道をしたことには絶句した。FGMが廃止されたわけでもなく、FGMを受ける女性たちの経済問題が解決されたわけでもないのだから、決して「喉元過ぎた」問題ではないのに、一過性の報道に留まってしまうようで、日本の報道のあり方を情けなく思った。

FGMがイスラム教とは無関係、という男性宗教者の言葉を信じるとしても、イスラム世界における女性の地位の低さ、男性中心の価値観のなかでしか暮らすことのできない女性たちの現状を確認しつつ、「逃げ出すことのできない」女性たちの実状を今後も考え続けたい。男性たちのパワー・ゲームの影で、合衆国からの攻撃の対象とされる国々には、無抵抗の子どもや女性が、「他者」からの攻撃の前に、内的な抑圧を受けている現実を再確認しなければならないと痛感する。★1

★1――FGM関連として児童婚という問題があるが、その撲滅のために運動しているニジェールの女性へのインタビューが以下に収録されている。DVD『現代女性のキャリアと活躍――変わる世界、変える女性』第二巻「女性にまつわる因習」(丸善出版、二〇一六年)

第四章

武力紛争と女性

自らのミッションに毅然と向かう女性たち

第一節

一九九〇年代に表面化した紛争・難民

二十世紀最後の十年間は、第二次世界大戦以降周知されないまま繰り返されていた世界各地の武力紛争が明らかになり、そこで厳しい状況に置かれた女性の現実が白日の下にさらされた時期でもあった。ここでは一九九〇年代の成果を踏まえ、二十一世紀を迎えた二十年目の今日、女性たちの置かれた状況がどのように語り継がれているかを検討していく。

映画『ホテル・ルワンダ』★2（二〇〇六年）でも描かれた中部アフリカ東部の内陸国ルワンダでの民族虐殺（genocide）は、世界に発信された衝撃的な事実だった。映画は、一九九四年に勃発した内戦で、フツ族過激派が同族の穏健派やツチ族を百二十万

★2――DVDプレミアムエディション『ホテル・ルワンダ』（二〇〇六年）監督／テリー・ジョージ

販売元：ジェネオン エンタテインメント

人以上虐殺するという状況で、一二六八人の難民を自分が働いていたホテルにかくまったホテルマン、ポール・ルセサバギナの実話に基づいている。

ルワンダでの政治的主導権争い、少数派ツチ族が多数派フツ族を支配するという構図、さらに十九世紀以来のドイツ、ベルギーによる植民地政策により悪化した情勢など、世界にその悲惨な状況が知らされたのは一九九〇年代に入ってからだった。一九九四年にルワンダで発生した民族虐殺を、アトランタ創設の二十四時間ニュースを伝え続けるCNNが、映像でその惨劇を知らせたことで世界は驚愕した。

後述する「性暴力の被害」については、ルワンダ虐殺の際にも起こり、被害を受けた女性から生まれた子どもは数千人に及ぶと言われる。あれからちょうど四半世紀、二〇一九年四月にルワンダ国内各地で追悼式が行われたという。

一九九四年四月からわずか百日間に、八十万～百万人が犠牲になったと言われる。

第二節 緒方貞子国連難民高等弁務官とUNHCR

「武力紛争と女性」というキーワードで考えるとき、この一九九〇年代の成果は大きく、先達の長い闘争が報われ始めた時期ともなったのだった。武力紛争から女性や子どもを救い出す役目を果たしたのが、国連難民高等弁務官事務所（ＵＮＨＣＲ）[★1]だと言えるだろう。

ＵＮＨＣＲは一九五〇年十二月十四日に設立された、国際連合の難民問題に関する機関である。難民に関する諸問題の解決を任務とし、高等弁務官の活動の補佐を目的とする組織で、スイスのジュネーブに本部を置いている。高等弁務官は国連総会で選出され、任期は五年である。二〇一九年現在、国連事務総長であるポルトガル出身のアントニオ・グテーレス[★2]は、二〇〇五年から二期、二〇一五年まで第十代高等弁務官を務めた。

グテーレスから二代前の第八代高等弁務官は、日本人女性の緒方貞子だった。一九九〇年代前半、湾岸戦争やカンボジアの国連平和維持活動（ＰＫＯ）を通して、緒方貞子国連難民高等弁務官、明石康国連事務総長特別代表の名前は世界に響いていた。一九九〇年から二期、二十世紀最後の十年間、前述のとおり大きな成果を上げた時期だった。一九九〇年代のＵＮＨＣＲは、日本人女性によって仕切られていた。

これまで十一人が務めた高等弁務官で、女性はわずか一人、緒方だけだった。彼女が取り仕切った一九九〇年代は、世界各地で紛争や戦争が起こり、世界中に難民の存在が明らかになった時期であった。ＵＮＨＣＲが最も積極的に活動し、その成果を世界に発信した十年間でもあった。

★1　The Office of the United Nations High Commissioner for Refugees

★2　Antonio Guterres (1949 -)

第三節

二十一世紀への語り継ぎ アンジェリーナ・ジョリー特使

緒方のこうした活躍を二十一世紀に入って受け継ぐ女性たちが登場する。日本人女性の中満泉とアメリカ人女性アンジェリーナ・ジョリー[★1]である。この二人の活躍を紹介して、緒方貞子から二十一世紀へ語り継がれたものを確認したい。

まず、緒方の思いを受け継いだアメリカ女性から紹介しよう。二〇〇〇年はUNHCR設立五十周年にあたったため、記念事業として難民教育機関が設立された。アメリカ人女優で活動家のアンジェリーナ・ジョリーが二〇〇一年に親善大使、二〇一二年に特使に任命され、この機関が注目された。「UNHCR日本」のHPで紹介されたジョリーの活動を紹介しよう。

アンジェリーナ・ジョリーは二〇〇一年にUNHCRの親善大使に任命された後、シエラレオネ、カンボジア、パキスタンを視察のために訪れ、翌年さらにナミビア、タイ、エクアドル、ケニア、コソボの五つの国と地域を訪問した。親善大使として人道支援活動の現場をただ通り過ぎるのではなく、ありのままの現実を自分の目で

★1 Angelina Jolie（1975 -） 人道的活動について、世界経済フォーラムでの記者会見にて。

By Remy Steinegger - 2005, CC BY-SA 2.0, https://commons.wikimedia.org/w/index.php?curid=3611900

見て、現地の人々の声に耳を傾けた。訪問を通して感動し、驚き、また悲しく感じたことのすべてを日記に残して出版[★2]し、その売り上げをすべてＵＮＨＣＲに寄付したのだった。

その後も人道支援の現場へ四十回以上赴き、難民・避難民となった何百万人もの人々の苦しみを伝え、保護を訴えてきた。彼女の訪れた場所のなかには、シリア、イラク、パキスタン、ヨルダン、アフガニスタンなど、命の危険を伴うような場所も含まれていた。支援現場では女優としての自分を忘れ、出来る限り難民の声に耳を傾け、その現状とニーズを把握した。現場視察に加え、国際的な外交の場でも、世界中の難民問題への意識向上を呼びかけてきた。

同時に寄付という形でも貢献し、二〇〇一年以降、総額五百万米ドルをＵＮＨＣＲに寄付し、難民への一時的支援だけでなく、長期的かつ根本的解決策にも関心を寄せてきた。二〇〇三年には、養子マドックスの名を取った基金プロジェクト「マドックス・ジョリー・ピット基金プロジェクト[★3]」を立ち上げ、二〇〇五年には「難民と移民の子どもたちのためのセンター[★4]」と「弁護を必要とする子どもたちのための組織[★5]」を立ち上げて、開発、教育、医療、法律などさまざまな分野で支援を提供してきている。

★2 *"Notes from My Travels" Visits with Refugees in Africa, Cambodia, Pakistan and Ecuador* 翻訳版は以下である。アンジェリーナ・ジョリー『思いは国境を越えて』（産業編集センター、二〇〇三年）

★3 Maddox Jolie-Pitt Foundation project

★4 National Centre for Refugee and Immigrant Children

★5 Kids in Need of Defence

第四節 二十一世紀への語り継ぎ 中満泉国連事務次長

二〇一九年八月六日にヒロシマ、九日にナガサキの平和記念式典に参列した中満泉国連軍縮担当上級代表は、いずれもアントニオ・グテーレス国連事務総長の挨拶を代読した。和服の色喪服で、毅然と代読する様子は誇らしくもあった。★1 以下にその挨拶を再録する。

＜広島平和記念式典挨拶＞

原爆の爆発で亡くなられた方々、また長引く被爆の影響によって命を失った多くの方々に謹んで哀悼の意を捧げ、今もその影響に苦しんでいるたくさんの方々に心から敬意を表します。

一九四五年八月六日の壊滅的な出来事は、核兵器が決して再び使用されないようにするための世界的な努力を引き起こしました。勇敢な生存者である被爆者に導かれ、広島と長崎の人々はその先頭に立ち続けてこられました。

核戦争がもたらす人的代償がいかに大きいものかを私たちに思い出させてく

★1 グテーレス国連事務総長のメッセージを代読する中満泉。

© United Nations Infor-mation Centre.

れる彼らの勇気と道義的リーダーシップに、世界は感謝の念に堪えません。

悲しいことに、今日、私たちは国際安全保障環境の悪化を目の当たりにしています。核保有国間の緊張が高まっています。何十年にもわたり世界をより安全にしてきた軍縮や軍備管理制度を疑問視する声が聞こえ始めています。

私たちはもう一度、被爆者が世界中に広めてきた重要なメッセージを思い出さなくてはなりません。それは、核兵器の使用を防ぐ唯一の確実な保証は核兵器の完全な廃絶であるということです。

核軍縮は、一九四六年の国連総会のまさに最初の決議のテーマでした。その目標は、昨年私が発表した軍縮アジェンダの基盤となっています。本日、私は世界の指導者たちに、この目標に向けて一層努力するよう、再び呼びかけます。

戦争で初めて核兵器が使用されてから七十四年目の今日、およそ一万四千発の核兵器[★2]がいまだ存在し、その多くがいつ発射されてもおかしくない警戒態勢にあります。この危険を低減し、最終的になくしていくために、私たちがなすべきことが数多くあります。

広島の人々の不屈の精神に動かされ、私は被爆者やすべての人々とともに、私たち皆の共通目標である「核兵器のない世界」の実現のため、全力を尽くすことを誓います。

★2　核不拡散条約（NPT）は、核兵器独占を狙った米ソが主導したもので、二〇二〇年三月五日で発効から五十年を迎えた。「核なお一万四千発」と大見出しで特集が組まれ、中満泉国連事務次長へのインタビュー記事が載っていた。（『朝日新聞』、二〇二〇年三月四日）

<長崎平和記念式典挨拶>

一九四五年八月九日に長崎に投下された原子爆弾の犠牲者の皆様に謹んで哀悼の意を捧げ、被爆者の方々に心からの敬意をお伝えできることを、とても光栄に思います。戦後この街は、世界平和と国際理解を導く光となってよみがえりました。

私は昨年長崎を訪れた際にこのことを目の当たりにし、深く感銘を受けました。勇敢な生存者である被爆者の証言、そして、この街に降りかかった大きな悲劇が二度と繰り返されないように尽くされてきた被爆者の方々のひたむきな姿が、私の心に触れました。

私は昨年ここ長崎で、今なお続く核戦争の脅威について述べました。核保有国の間で高まる緊張や、既存の軍備管理や軍縮条約の弱体化や失効に直面するなか、核の危険は依然として存在しています。

国際社会は、これらの条約がもたらしてきた安全保障上の利益を守るために力を合わせなければなりません。私たちは、真の対話と交渉の基礎となる協力関係や信頼を強化し、透明性を高めるために、ともに行動しなければなりません。

しかし、それだけでなく、さらなる努力が必要です。核兵器が二度と使用されないことを唯一確実に保証できるのは、その完全な廃絶だけです。これに向かって努力を続けることは、引き続き国連の、そして私個人の、軍縮における最優先事項です。

核兵器廃絶を強く訴える原動力として、被爆者の方々の証言以上のものはありません。彼らの証言を次世代のために守り続けている市民社会、長崎・広島両市、そして日本政府の活動に感謝しています。

昨年ここ長崎で私は多くの若い人たちともお会いしました。彼ら、将来の世界平和を担う若者たちに、はっきりと伝えたいことがあります。あなた方は私たちの共通の未来を守るために、世界に変革をもたらす究極の力です。[★1]

このメッセージをともに携えて前進することで、核兵器のない世界という私たちの共通目的を実現しましょう。

以上を、国連事務総長に代わって読み上げた中満泉の仕事をまとめておこう。

中満泉は二〇一七年五月、国連本部の事務総長、副事務総長に次ぐ事務次長ポストで、軍縮部門のトップに日本人として初めて就任した。就任三ヵ月後の二〇一七年八月六日、広島の平和祈念式典に出席した。国連叩き上げのキャリアをもつ彼女は、二〇一七年七月には「核兵器禁止条約」の採択をまとめる大役をこなし、世界的にも大きなニュースになった。スウェーデン人の外交官の夫と中学・高校生の二

★1　広島市は、二〇二〇年二月七日、戦艦ミズーリ記念館で、長崎市とともに七月上旬から九月まで、原爆展を開くと発表した。「被爆七十五年を迎える夏に、歴史的な場所での開催となる」と報道は伝えた。(『朝日新聞』、二〇二〇年二月八日)

人の娘をもつ女性である。

中満泉の仕事上の恩師が緒方貞子だった。クルド難民危機が始まる三ヵ月前の一九九〇年十二月末に国連総会で、第八代国連難民高等弁務官に選出された緒方が、二月半ばにジュネーブ本部に着任したとき、初めての現場視察でイランからトルコへ入る緒方に随行したのが中満だった。彼女の著書では「緒方難民高等弁務官の下、UNHCRはまたたくまに活力を取り戻し、人道危機に対応する最も効果的な国選機関に生まれ変わっていく」と述べている。さらに「UNHCRは難民たちの利益を守るという、組織としての『モラル・コンパス』と緒方さんの指導力を頼りに支援活動に踏み出した」と、クルド難民支援を回想している。★1

日本では中満泉、アメリカではアンジェリーナ・ジョリー、まさに「氷山の一角」のこの二人を追いかけるように無数の世界中の女性たちが、緒方貞子の「想い」を受け継いでいる。筆者は講義を通して、この「想い」を受講生に届け、彼ら彼女らの「気づき」を引き出す役目を続けていく。

★1 中満泉『危機の現場に立つ』（講談社、二〇一七年）

「十二月七日」、「九月十一日」を忘れるな！

一九四一年十二月八日、アメリカ合衆国大統領フランクリン・D・ローズベルトは、連邦議会において連邦議員たちに向かって「十二月七日は恥辱の日（The Day of Infamy）」と演説した。「パールハーバーを忘れるな」ではなく、「十二月七日を忘れるな！（Remember December 7th!）」と熱弁して、国民に参戦を呼びかけたのだった。

アメリカ人にとって屈辱的な「十二月七日」は、ズタズタに破れた星条旗を半旗として掲げ、絵の下に「十二月七日を忘れるな！」と書かれたポスターになった。ヒロシマ・ナガサキを経て、日米関係は蜜月となったが、二〇一一年に「九月十一日」（アメリカ同時多発テロ事件）が起こったとき、「アメリカ領土が攻撃されたのは十二月七日以来！」と、再び前述のポスターが使われた。

アメリカ社会では、警察に助けを求めるのも、救急車を呼ぶのも、火事が起こって消防車を呼ぶのも、いずれも九一一のダイヤルを回す。「ナインワンワン」と発音するが、「九月十一日」を意味する"Remember Nine One One!"となるのである。

この呼びかけは、前を向くためのスローガンという意味合いではなく、ただひたすら憎悪を招く歴史的な結果となった。日米開戦のための"Remember December 7th!"テロリスト主犯逮捕のためにアフガニスタンの空爆を続けた"Remember Nine One One!"――歴史的事件からそれぞれ八十年、二十年と時を重ねて、人は何をすべきなのか、改めて考えてしまう。

12月7日の戦死者の追悼式（写真上）。
のUnited 93の墓碑名。犠牲者の誕生
「あなたを忘れません」というメッセー
花が捧げられる（下）。

合言葉「12月7日を忘れるな」とともに、切り裂かれた星条旗が半旗に。

二十五の倍数で過去を振り返る

死の門：アウシュヴィッツ第二強制収容所の引込線。

　二〇二〇年は、一九四五年から数えてちょうど七十五年目となる。欧米では百の四分の一である二十五の倍数を節目とする慣習がある。

　一月二十七日、ポーランド南部オシフィエンチムで、ナチスドイツが第二次大戦中につくったアウシュビッツ強制収容所が解放されて七十五年の式典が行われた。収容所の跡地で、「ユダヤ人の絶滅」のために収容者を欧州各地から運んだ列車が通過した「死の門」を巨大なテントで囲み、生き延びた高齢の元収容者二百人をはじめとする参加者が席を並べた。

1945年8月14日、日本のポツダム宣言受諾を発表するトルーマン。

　ナチスは一九四五年一月、戦況の悪化を受け、アウシュビッツのガス室など主要施設を破壊して撤退し、動ける収容者を別の収容所に歩いて移動させた。この「死の行進」に加わった後、別の収容所で生き延びて解放された元収容者が式典で演説した。

　「アウシュビッツは急に空から降ってきたものではない」として、権力を握る政府の行動に「無関心になってはいけない」、無関心でいると「アウシュビッツは空から降ってくる」と語ったのである。このことはドイツに限った話ではなく、世界中どの国においても、自国の権力者への「監視」を怠らない国民でいなければならないことを警告しているのだろう。

　日本でも同様に、七十五年目を迎えた東京大空襲が起きたのは三月十日だった。毎年この日に東京各地では式典が開催されている。七十五年前の空襲で右腕を失った女性が、自らの被災状況を語りながら、最後にこのように力説した。「知っている者が伝えなければ、忘れ去られてしまう。生きている間伝えていかなきゃ！」と。

　アウシュビッツの元収容者が語ったように、次の節目に生存可能性が低い高齢の犠牲者たちは、自らの命をついばむように、「語り継ぎ」を重ねていく。

　七十五年前の一九四五年四月二十五日にイタリア社会共和国が解体され、四月三十日にはヒトラー夫妻が自殺した。日独伊三国のうち残された日本はその後、三ヵ月余り、単独で連合軍に立ち向かった。二〇二〇年は、八月六日、九日、十五日、九月二日（降伏文書に調印）と、七十五周年が続く節目の年でもある。

第三部

ノーベル平和賞から読み解く今世紀

二十世紀初年に創設されたノーベル賞は、ノーベルの遺言で、物理学、化学、生理学・医学、文学、平和の五部門に与えられ、ノーベル死後七十年目には経済学が加わった。受賞者一人ひとりの受賞理由を見ていくと、百二十年間の世界の動向を読み込むことができる。なかでも平和賞は、現実に平和をもたらしたというより、平和を目的に活動する人々に与えられていて、選考委員会の平和志向を確認できるだろう。

第一章

平和を追求した女性受賞者たち

ノーベル平和賞を受賞した十八名の女性の問題意識

アルフレッド・ノーベル[★1]の遺言によって創設されたノーベル賞は、五部門のうちの平和賞だけは、スウェーデンではなくノルウェーで授与式が行われる。隣国であるスウェーデンとノルウェー両国間の和解と平和を祈念しての決定で、ノーベル平和賞は特別な意味合いの賞となってきた。一九〇一年最初の受賞者は、国際赤十字の創設とジュネーブ条約制定への貢献が認められたアンリ・デュナン[★2]だった。

第二部で言及した国連難民高等弁務官事務所は創設五年目、一九五四年に「東西冷戦下の難民のための政治的、法的保護に対して」との理由で受賞、さらに一九六一年に「難民の移住と定着と処遇の改善に資する活動に対して」二度目の受賞をした。二〇一八年までの百十八年間で、UNHCRのような組織の受賞は二十二件（UNHCR二回を含む）である。個人での受賞は圧倒的多数が男性、女

★1 Alfred Bernhard Nobel (1833-1896)

★2 Jean Henry Dunant (1828 - 1910)

性は二〇一八年度の受賞者で十八人目だった。

本章では、女性の視点からノーベル平和賞の直近十八年間の二十一世紀を読み解くことを目的とする。最初の女性受賞者は一九〇五年に『武器を捨てよ！』の著者ベルタ・フォン・ズットナー（Bertha von Suttner：1843-1914）だったが、そのあと四半世紀かかり一九三〇年に、シカゴのセツルメントハウス「ハルハウス」創設者であるアメリカ人女性ジェーン・アダムス（Jane Adams：1860-1935）が「婦人国際平和自由連盟の指導とその社会改革に対して」二人目の受賞者となった。

十八人のうち、マザー・テレサ（一九七九年）や、軟禁中で授賞式には夫が代わりに出席したアウンサン・スーチー、本稿第二章で対象とした最年少受賞者マララ・ユスフザイなど、日本でも著名な人物もいるが、以下にこれまでにノーベル平和賞を受賞した人名と代表的な功績のみを列挙しておく。★3

1．ベルタ・フォン・ズットナー（一九〇五）反戦小説『武器を捨てよ！』著者
2．ジェーン・アダムス（一九三一）アメリカ初の福祉施設「ハルハウス」を設立
3．エミリー・グリーン・ボルチ（一九四六）婦人国際平和自由連盟（ＷＩＬＰＦ）を設立
4．ベティ・ウィリアムズ／マイレッド・コリガン（一九七六）北アイルランド問題の平和的解決に貢献
5．マザー・テレサ（一九七九）長期にわたる献身的な救済活動を展開

★3　ズットナー受賞以来二〇〇四年までの女性受賞者十二人に着目して、それぞれの人生と功績を描いた書籍がある。ドイツで出版され、二〇〇四年に開催された欧州安全保障協力機構ワルシャワ会議のために英訳された。

『ピース・ウーマン――ノーベル平和賞を受賞した12人の女性たち』（英治出版、二〇〇九年）

6.アルバ・ミュルダール（一九八二）非核、中立の軍縮運動を推進
7.アウンサン・スーチー（一九九一）ミャンマーの人権回復のための非暴力闘争を推進
8.リゴベルタ・メンチュウ（一九九二）先住民族の文化の擁護や地位向上に貢献
9.ジョディ・ウィリアムズ（一九九七）対人地雷の禁止および除去に尽力
10.シーリーン・エバーティ（二〇〇三）イランの民主化と人権擁護に貢献
11.ワンガリ・マータイ（二〇〇四）環境保護やアフリカ女性の権利向上に貢献
13.エレン・ジョンソン・サーリーフ（二〇一一）リベリアのアフリカ初の大統領
14.レイマ・ロバータ・ボウィ（二〇一一）リベリアの平和活動家
15.タワックル・カルマン（二〇一一）イエメンの平和活動家
16.マララ・ユスフザイ（二〇一四）女子教育の重要性を訴求
17.ナディア・ムラド・バセ・タハ（二〇一八）イラクの人権活動家

一九〇五年から二〇一八年までの百十三年間で、合計十八人の女性たちがその努力を認められたことになる。ただし、ここに登場した女性たちは「氷山の一角」であり、日々世界の平和のために活動を続けている多くの女性たちの存在を知ることが、現在の我々に求められている。

第二章

「武器としての性暴力」の意味

今なお繰り返される性暴力の根絶に向けて

第一節 旧ユーゴとローマ規程（一九九八）

二〇一八年十二月五日、ノーベル平和賞は、内戦状態が続くコンゴ民主共和国（旧ザイール）でレイプ被害にあった女性たちの治療に努める婦人科医デニ・ムクウェゲ（当時六十三歳）と、過激派組織「イスラム国」（ＩＳ）による性暴力被害者であり、現在は国連親善大使として人身売買被害者の救済を訴えるイラクの少数派ヤジディ教徒ナディア・ムラド・バセ・タハ（当時二十五歳）に授与されることが発表された。

ムクウェゲは一九五五年生まれのコンゴ人産婦人科医師で、コンゴ東部ブカブにパンジー病院を設立、四万人以上の性暴力被害者を治療しながら、国連本部をはじめ世界各地で紛争と性暴力、グローバル経済の関係について訴えてきた。その活動が評価され、国連人権賞、ヒラリー・クリントン賞、サハロフ賞などを受賞、二〇一八年にはノーベル平和賞を受賞したのだった。

世界中で性被害に声を上げ、被害者への連帯を示す「#ＭＥ ＴＯＯ運動[★1]」が広がるなか、紛争下では女性への性暴力が「武器」として使われている実態に目を向け、撲滅へ向けた具体的な取り組みを国際社会に求めることを狙いとした授与だった。受賞理由にある「武器としての性暴力」という表現は、それだけで強烈な印象を残す。ノーベル平和賞受賞により、世界の耳目を集めた「武器としての性暴力」に関して、すでに五年以上前から日本でも情報は発信されていた。その例を二つ確認しておく。

まず二〇一三年の『ＩＷＪウィークリー』第十一号の記事である。[★2]元ＵＮＨＣＲ職員米川正子による報告「『性的テロリズム』レイプ・サバイバーの治療専門家の闘い①」から一部を引用しつつ紹介する。

一九九〇年代後半から現在（二〇一三年）まで戦争が続くコンゴ東部では、女性三人のうち二人が性的暴力の犠牲になった。これは毎週百六十人の女性が、主に武装した男性によってレイプされている。コンゴ東部勤務時に、国内避難民キャンプにいた女性から「武装勢力にレイプされ、性器が痛い。どうすればいいか」と相談されたことがあった。性的暴力が蔓延しているために、国連は

★1　本書一三八頁参照。

★2　https://iwj.co.jp/wj/open/archives/111385

コンゴ東部を「女性や少女にとって、世界で最悪の場所」「世界におけるレイプの中心地」と呼ぶほどだった。

ムクウェゲは、一九九九年にスウェーデンの教会などから支援を受けて、コンゴ東部の主要都市・ブカブにパンジー病院を建て、それ以来、約三万人以上のレイプ・サバイバーの治療に関わってきた。武装紛争下の女性に対する暴力が、「戦争の武器」として意図的な戦略に使用されている事実は一般的に認識されているが、その研究は大変まばらで、国際的に注目を浴びたのは、一九九〇年代に入ってからだった。

半世紀以上前に日本軍の性奴隷にさせられた女性たちの証言、謝罪と賠償を求めて日本政府へ訴えた事実から始まり、国連が設置した旧ユーゴ法廷とルワンダ法廷で、武力紛争下の性的暴力の罪が問われるようになった。国際刑事裁判所（ＩＣＣ）のローマ規程に、人道に対する罪や戦争犯罪として「性奴隷制」が規定された。二〇〇〇年には国連安全保障理事会で、武力紛争下での性的暴力から女性を保護する重要性、加害者を起訴し処罰を徹底する国家の責任を要請する決議一三二五号が採択された。

二〇一三年三月にイギリスのウイリアム・ヘイグ外務大臣とアンジェリーナ・ジョリー親善大使がコンゴ東部を訪問し、紛争地における集団レイプに対する国際アクションを実施した。続いて六月のＧ８外相会合で、二人は武力紛争下での女性に対する性的暴力の根絶を訴える宣言を主導したのだった。ムクウェゲの言葉通り、性的暴力をなくすためには、医療ではなく政治的解決が不可欠で、そのためにムクウェゲは活動家としてさまざまな場で演説を続けた。二〇一二年十月には自宅にいたムクウェゲは暗殺未遂にあい、一家は一時的にスウェーデンとベルギーに亡命した後も、コンゴ政府が平和も法の正義（justice）もないと非難を続けた。政府寄りの地元大手メディアは彼の実績を報道せず、警察は暗殺未遂事件の調査も行わなかった。

その一方、地元の女性たちが「国連平和維持活動軍（PKO：世界最大級が駐留）ではなく、我々女性がドクターを守るから帰ってきて。我々を助けて」と強く懇願したのだった。彼女たちは一日一ドルという貧しい生活を営んでいるにもかかわらず、彼の飛行機代をかき集めるために農作物を売り費用をつくった。そのお金でムクウェゲ一家はコンゴに戻り、パンジー病院内の敷地で生活している。「性的暴力より〝性的テロリズム〟と呼ぶ方がふさわしいのではないか。とにかく描写する言葉がない」と大勢の性的暴力被害者の証言者であるムクウェゲは話す。

二〇一八年ノーベル平和賞受賞以前からの、日本人による情報発信のもう一例は、二〇一六年十月に開催されたシンポジウムだった。東京大学においてデニ・ムクウェゲを招聘した講演会が開催された[★1]。そこでもムクウェゲは同様に「これは『性暴力』ではなく、『性的テロリズム』です」と語った。

★1　「社会構想マネジメントを先導するグローバルリーダー養成プログラム」（主催・東京大学総合文化研究科人間の安全保障プログラム／教養教育高度化機構国際連携部門、共催・コンゴの性暴力と紛争を考える会）

コンゴ東部では、コンピュータや携帯電話などに使われる鉱物資源タンタルが産出され、武装勢力がその資金源である鉱山の住民を支配する手段として「武器としての性暴力」が行われているという。ムクウェゲ医師は「レイプは性的な欲求のためではない。これは性的なテロである」と話す。被害者は生後六ヵ月の乳児から八十歳の女性まで、一度に百人単位で襲われることもある。住民の目の前で暴行され、性器を破壊され、住民に恐怖を与えて支配するために、組織的に、計画的に行われている。被害にあった住民の多くは村を去り、残った者も奴隷のように扱われていることが知らされたのだった。[★2]

★2　城石裕幸「武器としての性暴力『これは性的なテロリズムなのです!』〜コンゴ東部で四万人以上の性暴力被害者を治療するデニ・ムクウェゲ医師が語る『性暴力・鉱物資源・グローバル経済』の関係とは?」(IWJウィークリー2016.10.4) https://iwj.co.jp/wj/open/archives/335956

第二節　弱者を援護する女性弁護士たち

「武器としての性暴力」は単にコンゴに限定される問題ではない。二〇一九年のもう一人のノーベル平和賞受賞者ナディア・ムラド・バセ・タハが証言する。

彼女は人身売買被害者の救済を訴えるイラクの少数派ヤジディ教徒であり、自身が性暴力の被害者でもある。ノーベル賞受賞前の二〇一六年九月十六日、国連親善大使就任のために国連本部を訪問し、就任演説で各国のリーダーたちに次のように

訴えている。★1

「二〇一四年八月にすべてが変わりました。イスラム国が誘拐、殺害、レイプをするために来ました。私のような女性たちが解放されない限り、私は自由を感じることができません。三千二百人のヤジディ教徒が今も捕われたままです。救わねばなりません」「首をはねられ、性奴隷とされ、子どもがレイプされても動かないとしたら、私たちはいつ行動するのですか」

イラク北部にあるナディアの故郷の農村は過激派組織「イスラム国」に襲撃され、彼女は他の女性たちとともに誘拐され、妻子ある男の性奴隷にされた。部屋に閉じ込められ、逃げようとして捕まり、「罰として」殴られ、脱がされ、六人の兵士に「意識を失うまで」集団レイプされたという。その後、兵士たちの間で売り買いされたが、ある日、鍵のかかっていない家から逃げて難民キャンプを経て、ドイツに亡命した。

国連本部にナディアの代理人として同行した人権派弁護士アマル・クルーニー★2は、ナディアからマイクを継ぎ、次のように発言した。

「ナディアさんの母親は処刑され、埋められました。犠牲となった年配の女性たち八十人の一人でした。墓標もありません。彼女の六人の兄弟も殺されました。たった一日で六百人が殺されたのです。これはジェノサイド（大虐殺）です」

続けて、彼女の強さをこう讃えた。

★1 「性奴隷にされた難民女性が国連親善大使に『ジェノサイドが起きている』とアマル・クルーニー弁護士」（BuzzFeed 2016.9.23）

★2 アマル弁護士の夫はハリウッド俳優のジョージ・クルーニーだと説明した方が耳目を集めるかもしれない。夫の知名度が、人々に世界中で起こっている「武器としての性暴力」周知に貢献するなら意味はある。

By UK Mission to the UN Ne /CC BY 2.0, https://commons.wikimedia.org/w/index.php?curid=63152499

「この若い女性の強さとリーダーシップに驚きました。孤児、レイプ被害者、奴隷、難民、どんなレッテルも逆境も跳ね返し、ヤジディ教徒のリーダー、そして女性の擁護者として活動しています。ナディアさんたちは復讐を求めているのではありません。代わりに、正義を求めているのです。ハーグの国際裁判所で、虐待した者たちと対峙する機会を」

そして、静かに壇上から語りかけた。

「この議場で話すのは初めてです。ここにいることを誇りに感じられたらと思いますが、そうではありません。国連の支持者として、恥ずかしく思います。どんな国もジェノサイドを防ぐことも、罰することもできないでいるからです。自国の利益を優先しているからです。弁護士として、恥ずかしく思います。正義がなされず、告発もほとんどされていないことを。女性として、恥ずかしく思います。ナディアさんのような女性が身体を売られ、戦場で利用されることを。人間として、恥ずかしく思います。助けを求める叫びを無視することを」と。

アマル弁護士は、ナディアたちが受難したような紛争地の性暴力撲滅を訴えるだけではなく、ミャンマーの少数派イスラム教徒ロヒンギャへの迫害問題を取材したロイター通信記者が有罪判決を受けた事件の弁護担当など、人権問題で国際的に幅広く活動している。その実績が認められ、二〇一九年四月の主要七ヵ国（G７）外相会議において英国のハント外相は、彼女を英国政府の報道の自由担当特使に任命したと発表した。取材活動を妨げる法律が残る国々での、法改正を支援する活動を担当するという。

これを受け、「ニュースを報じることがこんなに危険になったことはない。記者が狙われると、民主主義は揺らぎ、権力者は説明責任を問われず、人権侵害が横行するようになる。ペンを持つ者は自由であるべき」と、アマルは語ったという。

ちなみに、ナディアの過酷な体験とその後の人権活動家としての歩みは、彼女自身がまとめた著作があり、ノーベル平和賞受賞が決定する前にすでに日本でも翻訳出版されている。★1 遠い他国のことであれ、日本の若い世代もこうした情報に敏感になり、当事者の声に耳を澄ませ、「自分に何ができるか」を考えるきっかけにしてほしい。

第三節 「恐れを知らぬ少女」から「#ME TOO」運動へ

二〇一七年三月八日「国際女性デー」に合わせて、その前日にウォール街に「恐れを知らぬ少女」(Fearless Girl)の銅像★2が設置された。設置したのは、世界第三位の資産運用会社SSGA(State Street Global Advisers)で「企業が女性取締役を増やすこ

★1 吉井智津訳『THE LAST GIRL——イスラム国に囚われ、闘い続ける女性の物語』(東洋館出版社、二〇一八年)。原作は、*The Last Girl : My Story of Captivity, and My Fight Against the Islamic State* (Tim Duggan Books、二〇一七年)

★2 当初、期限付きでウォール街の雄牛像と向かい合って設置された「恐れを知らぬ少女」(Fearless Girl)の銅像。女性クリエーターKristen Visbalの作品。

と（ジェンダー・ダイバーシティ）を求めるキャンペーンの一環」だそうである。世界的な金融取引の中心地であるウォール街にFearless Girlの銅像を設置することで、現在活躍している女性管理職への称賛と将来世代に対する激励の意味を込めたらしい。

この銅像の少女は一二七センチの高さで、腰に手を当ててまっすぐ前を向いている。毅然としたこの少女は、メディアで話題を呼び、観光客の注目を集めた。当初は一週間のみの設置予定だったが、ニューヨーク市が設置期間を延長したのだった。ウォール街名物、強気（ブル）相場（Bull Market）の象徴として雄牛（ブル）の銅像（Charging Bull）の前に、ブルに向き合う形でスックと立っていた。

設置期限は一年九ヵ月延長されたが結局、二〇一八年十二月一〇日にニューヨーク証券取引所（ＮＹＳＥ）の前に移された。移動先はウォール街とブロードウェイの交差点角の歩行者専用エリアで、今度はＮＹＳＥを見つめている。★3 企業が女性取締役を増やすことを忘れず実行するのをこの少女は監視するのだろう。日本の兜町にも来てくれないだろうか。

女性に対する差別撤廃を訴える「ジェンダー・ダイバーシティ」は、女性側からも積極的な発信が必要になってくる。その大きな運動が、「#ＭＥ ＴＯＯ」運動である。このハリウッドはアメリカ社会の向かう方向を先取りし、常に社会を牽引してきた。このハリウッドで二〇一七年秋に、いわゆる「セクハラ」（sexual harassment）告発が起こった。行為自体は決して初めてではないのだが、「告発」が周知されること自体

★3　ニューヨーク証券取引所前に移設された。（著者撮影）

が新しいことだった。二〇一八年五月には、日本でも前財務事務次官がセクハラ問題で処分され、問題は我々の足もとまで来ている。被害者に告発の勇気を与えたのは、二〇一七年秋にハリウッド女優たちが、長い間の「沈黙」を破って声を上げ、告発者を孤立させず、「自分もそうだ」と賛同するようになった運動があるだろう。★1

ネット空間では#ME TOO運動となり、その運動を支える男優たちが、セクハラを「もう終わりにしよう」（Time is up!）と支援を続けている。世界中にこの運動が周知されたのは、二〇一八年一月七日に開催されたゴールデン・グローブ賞授賞式だった。参加した女優たちは皆黒いドレスを身にまとい、男優たちはTime is up! のバッジをつけて集った。同賞が設定する「セシル・B・デミル生涯功労賞」受賞者によって#ME TOO運動が、世界へ発信されたのだった。

まず功労賞の説明を先にしておく。セシル・B・デミルとは映画監督で、出エジプトを描いた『十戒』★2（一九五六年）が彼の遺作となった。彼の名を冠した賞は、長年にわたって映画界に貢献した人物に贈られ、ゴールデン・グローブ賞の主催者であるハリウッド外国人記者クラブが決定してきた。

トランプ大統領就任直前に開催された二〇一七年一月八日、同賞受賞者のメリル・ストリープがトランプを非難し「他人への侮辱は、さらなる侮辱を呼ぶ。暴力は暴力を扇動。権力者が立場を利用して他人をいたぶると、それは私たち全員の敗北」と訴えた後に「権力を監視し、責任を果たさせるよう」報道機関に求めて、会場に

★1　拙稿「アメリカ映画の「暴力」性――時代を映す『鏡』としてのハリウッド映画」（『季論21』二〇一八年夏号一七〇～一八一頁）

★2　DVD『十戒』監督／セシル・B・デミル

販売元／パラマウント・ホーム・エンタテインメント・ジャパン

集った映画人たちには、ハリウッドが報道機関を支えなくてはならないと強調したのだった。ハリウッド外国人記者クラブ、つまり「ハリウッド」「外国人」「報道」は、就任以来トランプ大統領が忌み嫌い、攻撃対象としてきた存在である。メリル・ストリープは、ハリウッドを代表する映画人として、毅然した態度で発言したのだった。

この勇気ある発言から一年、二〇一八年の「セシル・B・デミル生涯功労賞」を受賞したのは、バラク・オバマを大統領にしたと評価された黒人女性オプラ・ウィンフレイ★3だった。メリル・ストリープ同様、世界中に勇気を与える受賞スピーチを行い、#METOO運動を世界に発信したのだった。

アメリカ社会で最初に「セクハラ」の表現が使われたのは一九七〇年代だった。夏期休暇のアルバイト中に性的嫌がらせを受けた女子大生が、自分たちに起こったことをsexual harassmentと表現したのが始まりだとされている。グロリア・スタイナムが一九七二年に創刊した女性雑誌『ミズ』(Ms. magazine)が、この女子大生の経験を巻頭特集したことで注目を集め、セクハラの概念が明確化され、性差別が理論化、法制化されていった。

現在ではセクハラ問題の第一人者として知られる弁護士で法学者のキャサリン・マッキノンが中心となり、法規制を求める運動、女性の人権を侵害し性犯罪を助長するものとしてポルノグラフィを規制する運動を行った。マッキノンはフェミニズム思想史上、最大の貢献をしてきた法学者と評価されている。

★3　二〇〇八年、オバマの選挙キャンペーンに出席したオプラ（左）。

アメリカ社会で「セクハラ」概念が定着した契機は、一九九一年の黒人女性アニタ・ヒルによる告発だった。現クラレンス・トーマス連邦最高裁判事が任命を受ける直前のことだった。同年十月全米の耳目を集めた公聴会が行われた。九人で構成される連邦最高裁判事唯一の黒人ポストは当時、ブラウン判決勝利で有名な弁護士サーグッド・マーシャル★1だった。彼の引退後のポストをトーマスが獲得する直前のことだった。

一九九一年、オクラホマ大学法学部教授だったアニタ・ヒルは、トーマス元雇用機会均等委員会委員長の部下として働いていたときにセクハラを受けたことを告発した。ヒルの行動をめぐって黒人社会では「内部告発派」と「人種擁護派」に二分された。人種を問わず、女性の権利が確立していなかった当時、アメリカ社会全体でスキャンダルを超えた議論に発展した。あれから二十七年経ったアメリカ社会が#ＭＥ ＴＯＯ運動を展開できるようになっているのは、運動の先達には喜ばしいことに違いない。

まさに「後日談」でしかないが、八年前の二〇一〇年に、トーマス判事夫人（白人）からアニタにかかった留守番電話（ヒルに対して夫への謝罪を要求）をめぐる報道が出て、記事は以下のように結ばれた。「ヒル女史の『勇気』があったからこそ、『セクハラは犯罪』という社会常識が、アメリカだけでなく世界の多くの国で確立したのは間違いない★2」。孤軍奮闘したアニタ・ヒル世代★3から、オプラに率いられた#ＭＥ ＴＯＯ運動に発展した現在、国も人種も超えて賢明な判断が個々人に委ねられている。

★1　二〇一七年には伝記映画"Marshall"が制作された。邦題『マーシャル法廷を変えた男』監督／レジナルド・ハドリン

販売元：ソニー・ピクチャーズエンタテインメント

★2　冷泉彰彦「アニタ・ヒル事件、十九年後の後日談とは?」（二〇二〇年十月二十二日付『ニューズウィーク日本版』）

★3　アニタ・ヒルを主人公にしたHBO映画『アニター世紀のセクハラ事件』が二〇一六年に製作され、エミー賞候補となった。

第三章

核兵器廃絶への遠い道のり

人間の矛盾の象徴のような「核」をめぐって

第一節

「真珠湾攻撃」という出発点

「マンハッタン計画」と「真珠湾攻撃」、一見無縁のようなこの二つには重要な因果関係がある。日米関係を考えるとき、この二つを同時に考えないと、問題解決には至ることができないほどの深い関係である。十二月七日直前の講義で、筆者は毎年テーマを「真珠湾攻撃」としてきた。

二〇一六年の暮れも押し迫った十二月二十八日（ハワイ時間二十七日）に、安倍首相がハワイ、オアフ島のパール・ハーバーを訪問した。ハワイ州出身のオバマ大統領が休暇でハワイ滞在中ということで、日米両首脳による真珠湾訪問が行われ、世界中の注目を集めるニュースとなった。

日本軍の攻撃によって、約九百人の遺体を残して沈んだままの戦艦アリゾナ号（米海軍の軍艦名は、海のない州の名前をつけたものが多い）の上に、追悼施設が設けられて、真珠湾攻撃による戦死者のすべての名前が刻み込まれている。アリゾナ記念館（Arizona Memorial）と名付けられ、一九六二年に開館した慰霊施設である。

現在、アリゾナ記念館のそばには、戦艦ミズーリ号（ミズーリも海のない州）が永久停泊していて、ミズーリ記念館[★1]となっている。この戦艦は建造されて二度目の航海として、一九四五年九月二日に東京湾へやって来た。日本国降伏文書調印式を行うためだった。そのミズーリ号も五十年後に現役引退して、サンフランシスコ湾に永久停泊した後に、真珠湾に移動して記念館となった。

映画『パール・ハーバー』[★2]を見ていこう。公開された二〇〇一年夏、日本でも大ヒットし、劇場公開された数ヵ月後の十二月の講義時点で、受講生の多くが『パール・ハーバー』を観たことを、目をハートにして語っていた。女子大生たちのうっとりした目が忘れられない。当時の大学生にとっては、この映画は恋愛映画に留まっていた。ただ、講義を聞き終わり史実を知った彼女たちの目は、「うっとり」から「しっかり」に変わり、史実を見つめなければならないことを自覚して教室を後にしていた。

この映画公開以前には、映画『トラ・トラ・トラ』の場面を私が口頭で話して、「日本軍の爆撃機が攻撃され、片翼を失ったらどうするか？」と問いかけて、受講生の反

★1　ハワイ州オアフ島にあるアリゾナ記念館と、停泊し記念館となったミズーリ号。広島市は、二〇二〇年二月七日、戦艦ミズーリ記念館で、長崎市とともに七月上旬から九月まで、原爆展を開くと発表した。「被爆七十五年を迎える夏に、歴史的な場所での開催となる」と報道は伝えた。（二〇二〇年二月八日付『朝日新聞』）

★2　DVD『パール・ハーバー』（二〇〇二年）監督／マイケル・ベイ

応を見ていた。今はもうこのような話をする時間の余裕がないほどに、学生たちが史実を知らないので、歴史事実の説明に講義時間の大半を使うようになってしまった。

映画『パール・ハーバー』は、史実だけでは多くの観客の興味を引きつけられないので、恋愛というフィクションを盛り込んで、主人公の男女たちの友情や愛情を話の軸としていた。日本人として見る場合、問題を多く含んでいる映画である。真珠湾攻撃のために北太平洋上の空母から飛び立つ爆撃機の様子、攻撃前の機上の様子で、講義では必ず一時停止して「こんなことを日本兵は決してしない、ハリウッド映画的な解釈」と説明するのが、戦艦オクラホマ号攻撃を命じられた爆撃機の操縦桿のそばには、攻撃対象の戦艦オクラホマ号の写真だけでなく若い女性の写真が貼り付けられていた。たとえ妻、婚約者だったとしても、当時の日本男児がするはずはない。恋愛の要素がないと観客の興味をそそらないとの判断だろう。

一九四一年ハワイ時間十二月七日早朝、この日は日曜日で、上官たちはゴルフに興じたり、若い水兵たちは朝寝坊をしていた時間帯だった。山本五十六司令官（ハリウッド俳優の日本人、故「マコ」が演じた）の指揮の下、日本軍の真珠湾攻撃が実行[★3]され、宣戦布告がワシントン経由だったため、ハワイの軍港、真珠湾に伝えられたのは攻撃も終わった後となった。突然の攻撃に対して、いわゆる「寝耳に水」の状態の合衆国海軍は応戦するのに時間を要した。日本軍の「卑劣な」行為、「だまし討ち」として、翌八日にはフランクリン・ローズベルト大統領は連邦議会に対して参戦を提案

★3　一九四一年十二月七日付 *Honolulu Star-Bulletin* の一面。

し、たった一票の反対票で全会一致とはならなかったものの、参戦が決定した。

反対票を投じたのは、史上初の白人女性連邦下院議員ジャネット・ランキンだった。彼女は生涯を通じて平和主義者として活動し、アメリカ合衆国が第一次・第二次大戦に参戦することに対して、ただ一人両方に反対した国会議員だった。一九四一年十二月八日以来、アメリカ人にとっては"Remember Pearl Harbor"が合い言葉となったのだった。

前述したように真珠湾攻撃時点の大統領だったフランクリン・ローズベルト★1（FDR）の描かれ方を確認する。シオドア・ローズベルト大統領の甥で、従妹エリノアと結婚したFDRは、三十九歳で突然ポリオにかかり下半身不随となり、一時は政治家として絶望視されたが、賢夫人エリノアの支えで政界復帰を果たし、大統領職まで登り詰めたのだった。困難を克服したFDRの第一回就任演説のなかの「我々が恐れなければならない唯一のこと、それは恐れそのものである」（The only thing we have to fear is fear itself.）の言葉を信じて、アメリカ国民は大恐慌のどん底から立ち上がる勇気をもらったのだった。

大恐慌の次に大きな転換点となったのが一九四一年十二月七日（アメリカ時間）だった。映画ではFDRが参戦を決め、翌八日に議会に対して参戦を提案、議会から承認される場面では「十二月七日は恥辱の日（The Day of Infamy）である」という有名な演説部分が引用されていた。二〇一六年の安倍首相真珠湾訪問関連の日本での報道でも、FDRのこの演説実写場面が多くのニュースで使われていた。

★1 Franklin Delano Roosevelt (1882-1945)

この場面の後、閣僚たちと作戦会議を行う場面も描かれた。このときの彼の発言からは多くを知ることができるので、ここに字幕のまま引用する。「足が悪くなる前の私を知るまい。私は頑強で誇り高く傲慢だった。今の私は絶えず自問している。『なぜ神は私を車椅子に?』。今の君らの目と同様、米国民の目に敗北の色を見るとき私は思う。『神はこのために私に試練を与えたのだ』と。我々はくじけぬと思い起こすために」と。

閣僚たちに向かってこう言い放った大統領に対し、一人の閣僚が「実行不可能です」と答えるのだが、FDRは決心したかのように車椅子から立ち上がろうとした。そばに座っていたエリノア夫人や側近、さらに黒人の使用人が駆け寄ろうとするが、すべてを振り払って、必死の努力で立ち上がったFDRは「この私に『不可能』などと言うな」と対日戦への強い意志を表明したのだった。

最後にもう一人、実在の人物を紹介する。二〇一六年十二月二十七日午前に、アリゾナ記念館での献花を終えた日米両国の首脳によって演説が行われたが、ここで紹介したいのは、オバマ大統領の演説で言及された黒人兵（African American Messman）である。オバマ大統領の演説では、何人もの実在する人物の実名が紹介されていたが、この黒人兵に関しては実名を出していなかった。ドリス・ミラーという海軍に所属する三等水兵（給仕兵）だった。

映画では、キューバ・グッディング・ジュニアが演じていた。映画『ザ・エージェント』（一九九六）でアカデミー最優秀助演男優賞を受賞した俳優である。大戦中の黒人兵士は、武器を持つことを許されず、ミラーのような給仕や雑役を担当する非戦闘員だった。日本軍による爆撃を受けて負傷した白人兵に代わって、対空機銃座に座り日本軍に反撃する様子が、映画では描かれていた。ミラー本人は、この武器を持つという行為によって処罰されるのではないかと心配したと伝えられるが、実際にはこの行為が高く評価されて、ドリス・ミラーはアメリカ黒人として最初の海軍十字章（殊勲章）を受賞したのだった。

後日談だが、ミラーは二年後の一九四三年十一月に、南太平洋のマキンの戦いで、日本軍の潜水艦の攻撃を受けて戦死した。黒人兵ミラーの活躍は、この後のアメリカ軍隊における黒人兵たちに大きな励みとなったに違いない。祖国アメリカに戻ると待っている人種差別を自覚はしていても、命をかけた戦地においては、ひととき人種を超えた戦いをすることは、黒人兵にとっては気持ちが解放される場ともなったのだった。

映画『パール・ハーバー』は三時間余りの大作で、真珠湾攻撃の場面だけでも三十分以上ある。講義では攻撃場面を十三分程度に編集して、前述したＦＤＲの登場部分を見せるようにしている。ただ流すだけでは充分に理解できない学生たちに何ヵ所も一時停止させて、説明を加えることも忘れない。

安倍首相の訪問で、日米両首脳が真珠湾攻撃に関して、それぞれにメッセージを世界へ発信した。真珠湾に眠る戦死者の霊を慰めるという行為と、戦争を繰り返さないというメッセージ……。しかし、たった今も、世界中でシリアや南スーダンで内戦などの争いが繰り返されて、多くの子どもや女性たちが戦火の下を逃げ回っている。難民を受け入れようとしない「ポピュリズム」のひと言で片付けられそうな「新政権」が、アメリカ合衆国をはじめとする世界各地で誕生したのは、翌二〇一七年のことだった。

太平洋戦争の開戦から七十八年を迎えた二〇一九年十二月八日には、ハワイのオアフ島の真珠湾を臨む公園では、攻撃が始まった時刻に合わせて犠牲者を追悼する式典が行われた。戦闘に加わった米軍元兵士や犠牲者の家族、それに軍の関係者らおよそ二千人が出席した。出席者は真珠湾攻撃が始まったハワイ時間七日午前七時五十五分（日本時間八日午前二時五十五分）に合わせて黙とうを行い、攻撃で死亡したおよそ二千四百人を追悼した。

アメリカ海軍ハワイ司令部の司令官が「七十八年前の今日ここ真珠湾で悲劇的な攻撃があったことを思い起こすとともに、アメリカという国の強じんさを改めて認識したい」と述べた。攻撃を受けた戦艦アリゾナ号が沈む海底に向かって、追悼の意を表す空砲が撃たれた。式典に参加した元兵士は「当時私は二十歳で、軍艦が爆発したり、転覆したりするのを見た。日本はかつては敵だったが今は仲間であり、アメリカにとって重要な同盟国になっている」と話した。真珠湾攻撃から七十八年が経ち、当時の体験を語り継ぐ人が少なくなるなかで、当時の記憶を若い世代にどのように伝えていくかが課題であるとニュースは伝えたが、アメリカだけではなく、日本の若者にどのように伝えるか、日本人の我々にとっても大きな課題である。

「マンハッタン計画」

「マンハッタン計画」という悪夢――人類最初の核兵器製造計画

事の発端は一九三九年八月十五日に亡命科学者たちが連名で書いた、時の大統領FDRへの手紙だった。科学者の名前のなかには、アインシュタインの署名もあったために「アインシュタインの手紙」と称されるその中身は、ナチスドイツが原爆を開発する恐れがあるというものだった。ナチスが開発成功する前に原爆を製造する力がある国は合衆国しかないので、一刻も早く製造計画に着手するように、という警告だった。

ローズベルト大統領は、二ヵ月後の十月には「ウラン諮問委員会」を設置して調査することを命じた。マンハッタン管区がこの調査を遂行したために、原爆製造計画は、暗号名のように「マンハッタン計画」と呼ばれた。一九四三年三月には、州の中央を南北に走るリオ・グランデ河をはさんで、サンタフェと向き合う位置にあるロス・アラモスという町に研究所が設けられた。

オッペンハイマー所長の指揮の下で研究すること二年余り、ロス・アラモス研究所に投入された予算は、二十二億ドル、多くの優れた物理学者をはじめとして十二万人を動員して、秘密裡に進められた計画の実験をするときが来た。実験場は、同じロス・アラモスから南東に二百キロメートル離れた砂漠で、アラモゴードと呼ばれる州南部の町だった。砂漠だから人的被害が少ないという見通しで選ばれたのだろうが、白人が住んでいないだけで、近隣に先住民が追いやられて住んでいる事実は、この人類最初の実験以降ずっと続く問題となっている。

一九四五年七月十六日、ニュー・メキシコ州アラモゴードにきのこ雲が上がり、実験は成功した。アラモゴードで実験されたのはプルトニウム爆弾（ナガサキ型爆弾）だった。この結果はすぐに大統領に知らされる。マンハッタン計画開始を命令したローズベルトは三ヵ月前の四月に病死していて、計画のことなど全く知らされていなかった副大統領トルーマンが大統領に昇格していた。実験成功当日、トルーマンはポツダム会談のためにドイツにいた。知らせを受けたトルーマンは、「これで戦争を終結させられる」とほくそえんだと言われる。

八月六日八時十五分快晴のもと、広島の予定地（爆心地）にウラン爆弾（ヒロシマ型爆弾）「リトル・ボーイ」は落とされた。一九九五年夏、スミソニアン航空宇宙博物館に展示された爆撃機「エノラ・ゲイ」は、重い原爆を落として軽くなって太平洋上のテニアン島へ帰ってきた。原爆投下の役目を果たしてから五十年後に、「エノラ・ゲイ」は世界の注目を浴びることになった。

終戦五十周年の「原爆展示会」を振り返る

首都ワシントンD.C.の「モール」と呼ばれる辺りにスミソニアン博物館の一群がある。その中で東端に位置する国立航空宇宙博物館で、戦後五十周年の一九九五年に、合衆国内で大きく議論を呼んだ展示会が開催された。企画当初は「原爆展示会」として、広島と長崎での被爆現物資料をはじめとする原爆に関する展示会の予定だった。ところが元軍人団体から猛反発の結果、ほとんどが展示の対象にならず、広島に原爆「リトル・ボーイ」を落とした爆撃機「エノラ・ゲイ」のみの展示となった。

スミソニアン内はすべて無料で自由に出入りできるのだが、エノラ・ゲイ・コーナーに関しては無料ながら整理券が配布されて、数時間待ちというときもあった。出口の近くのビデオ・ルームでは立ち見まで出てエノラ・ゲイの飛行士たちの談話が伝えられていた。★1 原爆投下を正当化する目的だと考えずにはいられない内容だった。

アラモゴードで実験されたプルトニウム爆弾が、どのような人的被害を出せるのかの「実験」はまだ行われていなかった。長崎はその実験場にされてしまったのだった。八月九日悪天候のなか、当初の目的地福岡に落とすことができないまま、長崎が「ファット・マン」というプルトニウム爆弾の犠牲になった。原爆投下に時間をとられ過ぎた爆撃機「ボックスカー」は、燃料不足でテニアン島に帰ることはで

★1 エノラ・ゲイの前に立つ作戦を実行した乗員たち。

きず、やっとのことで沖縄に降りたのだった。同年四月に米軍に上陸されて始まった「沖縄戦」の結果、六月二十三日（現在は「沖縄慰霊の日」）以降は合衆国占領下となった沖縄は、その後「太平洋の基石」と呼ばれて、一九七二年五月まで合衆国が二十七年間統治する場所となった。

十二月八日の真珠湾攻撃と合わせて、太平洋戦争を考える際の重要なテーマである原爆投下に関して、合衆国側からの知識をもったうえで、日本人としての立場をはっきりしたいものである。広島と長崎を考えることと同時に、アラモゴードのこと、現在なお続く核実験、「イラク戦争」の大義名分の一つだった「核兵器保有」の意味も考えていきたい。

ニュー・メキシコ州アラモゴードの米軍空軍基地内には、最初の原爆実験を記念する記念碑が建っている。「トリニティ・サイト（跡）」と呼ばれるこの碑には、「人類最初の核実験の場所」と記されている。キリスト教用語「三位一体」を意味するトリニティは、一説によれば、広島、長崎、アラモゴードの三ヵ所の意味だという。「マンハッタン計画」が成功して、人類最初の核兵器である原子爆弾をつくった合衆国は、戦後、核兵器を製造することで「米ソ対立」が激化するなかで、核実験を停止することはなかった。一九九五年にフランスが南太平洋の植民地を使って核実験していたことに対して、世界中が猛反対した。反対側には合衆国も入っていたが、あれから二年も経たないうちに合衆国は「臨界前核実験」を数回行った。実際の核実験とは違うという合衆国の言い分も世界的には受け入れられないだろう。

合衆国で核実験場となるのは、ネヴァダ州内である。第二次大戦終了以来、核兵器とミサイルの実験場が設けられてきた。砂漠での実験で、極力人的被害が少ないという理由でネヴァダ州が選ばれたのだが、実験場の近くには先住民の保留地がある。白人の住む土地を確保するために、先住民は山岳部や砂漠など白人が住めない場所へと追いやられたのである。そうした場所を「保留地」(Reservation)と呼ぶ。そこに住む先住民は、核の灰を浴びたり、核に汚染された地下水を使用して、被爆の後遺症に悩まされているのが現状である。

ネヴァダ州は、ラスベガスとリノの二大ギャンブル都市と、州都カーソンシティの三都市に人口が集中して、ここ以外は岩山と砂漠で人間の居住地には不向きな環境である。州の土地の八七%を連邦に所有されていて核実験場になっているという現状で、連邦の決断が州の行方に大きく影響を与える州となってしまっている。

第三節

「核なき世界」(二〇〇九)のゆくえ

「核なき世界」とは、二〇〇九年に当時のオバマ大統領[★1]が行った演説の内容である。若々しく演説が上手で、カリスマ性もあったオバマ大統領の〝CHANGE〟とか〝YES, WE CAN〟の英語表現は、国境を越えて世界中の人々に共感をもたれたことだろう。彼の演説力が聴衆の気持ちを捉える力をもっていたことは、二期務めた八年間にさまざまな場面で確認できた。その代表的な例は、就任直後の二〇〇九年四月に、欧州連合との初首脳会談のためにチェコの首都プラハを訪問したときだった。

「アメリカは世界で唯一核兵器を使用したことのある核保有国として、行動を起こす責任がある」として「核兵器のない世界の平和と安全をめざす」と宣言したのだった。「プラハ演説」と称されたこの演説が、この年の暮れにはオバマ大統領にノーベル平和賞をもたらした。

アメリカ大統領の同賞受賞者には、日露戦争講和に尽力したセオドア・ローズベルトと、第一次世界大戦講和への努力でウィルソンがいた。二〇〇二年にカーター元大統領も受賞したので、大統領経験者としては四人目の受賞となった。ただ、演説だけで結果が出ていない受賞に対して、時期尚早との声も多かったが、ノーベル委員会の平和祈願を見たようだった。

受賞翌年四月にプラハにおいて、ロシアのメドベージェフ大統領（当時）との間で、新戦略兵器削減条約が結ばれて、世界的な核軍縮への気運が盛り上がった。ところが、アメリカ社会での景気回復の遅れが貧困層を直撃して失業率一〇%となってい

★1　オバマ大統領に関しては、以下も参照されたい。猿谷要編『増補新版 アメリカ大統領物語』一九〇～一九五頁・拙稿「オバマ」（新書館、二〇一九年）

た当時、共和党多数の議会から不満の声が出て対立し、同年の中間選挙では、民主党が大敗することになってしまった。

二〇〇八年の大統領選挙当時のアメリカ社会は、閉塞感と危機に直面していた。〝CHANGE〟を叫ぶオバマ候補がまるで救世主のようで、アメリカの変革を予感させる黒人初の大統領に期待した。オバマ第一期政権においては、リーマンショックで疲弊した経済危機と、アフガン、イラクと長引く戦争の火消しの役割など「守り」に留まった。紛争地帯への積極的な介入や軍事行動を回避する外交を続け、二〇一一年には米軍をイラクから撤退させた。国民皆保険をめざす医療保険制度法（オバマケア）こそ達成できたとはいえ、ブッシュ共和党前政権の負の遺産の後始末に追われたような、第一期の四年間だった。

国内政治に追われたために、「核なき世界」の実現とはほど遠い八年間となってしまった。「核」関連でわずかに歴史に残る成果と言えば、アメリカ大統領として初めて広島を訪問したことだった。二〇一〇年八月六日の広島平和祈念式典に、米駐日大使として初めてルース氏が参列、一四年には彼の後継大使キャロライン・ケネディ（ケネディ大統領の娘）が出席した。彼女は一九七八年一月、叔父のエドワード上院議員とともに平和記念公園を訪問して被爆者と面会もしていた。オバマの広島訪問には、キャロラインの尽力があったことが伝えられている。

ノーベル平和賞受賞七年後、二〇一六年五月二十七日、オバマは伊勢志摩サミット終了後に広島を訪問した。核廃絶に向けた国際的な気運のために重要な機会となった。この広島訪問に呼応するように、二〇一六年暮れに日米両首脳がハワイ真珠湾のアリゾナ記念館で、戦死者を慰霊して献花するという歴史的な事実も残った。第一節で言及した通りである。

サーロー節子の歩みと核兵器廃絶国際キャンペーン（ICAN）

「核兵器禁止条約」採択

「私たちは微力ではあるが無力ではない」とは、ジャーナリスト池上彰が、NHK広島勤務当時、あるヒバクシャ（被爆者）から聞いた言葉だという。これほど、説得力に富み、勇気づけられる言葉があるだろうか。

二〇一七年七月七日、ニューヨーク国連本部での中満泉[★1]の尽力もあり「核兵器禁止条約」は採択された。法的拘束力をもつ核軍縮関連の条約としては、二十年ぶりの交渉成立だった。成立前の三月にその交渉会議でカナダ在住の日本人被爆者サーロー節子（当時八十五歳）が演説したのだった。演説後の報道陣からのインタビューで「日

★1 第二部第四章第四節を参照されたい。

本政府の演説があまりに悲しい。日本は頼りない国」と語ったという。

ニュース映像で初めてサーロー節子の顔を見た筆者は狂喜した。一九九三年以来、筆者の前期末講義で必ずテーマにしてきた「マンハッタン計画」で、教材として学生に見せてきた映像で語り継いでいた女性だったのである。終戦五十年目一九九五年に、ドキュメンタリー「世界は原爆をどう伝えたか」がシリーズで放送され、各国がさまざまな映像を製作した。なかでも第二回「ヒロシマ」はカナダが製作した映像で、教材にするのに最適な内容だった。全部見せることは時間的に難しく、十五分程度に編集して使ってきた場面で、サーロー節子（映像では中村節子）が語っている。一九四五年八月六日八時十五分に爆心地近くで被爆したサーローは、このとき十三歳だった。

二〇一七年十二月、ノーベル平和賞が核兵器廃絶国際キャンペーン（ICAN：International Campaign to Abolish Nuclear Weapons）に授与された。ノーベル平和賞授賞式で、広島での被爆体験を証言してきたサーロー節子が感激的な受賞スピーチをした。二〇一九年七月には、中国新聞記者の金崎由美と共著で『光に向かって這っていけ――核なき世界を追い求めて』★1と題する自伝を出版した。この書名は、ノーベル平和賞受賞スピーチ（英語）からの引用である。日本語でこの部分を再録しておきたい。

米国が最初の核兵器を私の暮らす広島の街に落としたとき、私は十三歳でした。私はその朝のことを覚えています。八時十五分、私は目をくらます青白

★1 サーロー節子・金崎由美『光に向かって這っていけ――核なき世界を追い求めて』（岩波書店、二〇一九年）

い閃光(せんこう)を見ました。私は、宙に浮く感じがしたのを覚えています。静寂と暗闇の中で意識が戻ったとき、私は、自分が壊れた建物の下で身動きがとれなくなっていることに気がつきました。私は死に直面していることがわかりました。私の同級生たちが「お母さん、助けて。神様、助けてください」と、かすれる声で叫んでいるのが聞こえ始めました。

そのとき突然、私の左肩を触る手があることに気がつきました。その人は「あきらめるな！　瓦礫(がれき)を押し続けろ！　蹴り続けろ！　あなたを助けてあげるから。あの隙間から光が入ってくるのが見えるだろう？　そこに向かって、なるべく早く、はって行きなさい」と言うのです。私がそこからはい出てみると、崩壊した建物は燃えていました。その建物の中にいた私の同級生のほとんどは、生きたまま焼き殺されていきました。私の周囲全体にはひどい、想像を超えた廃虚がありました。

サーローのノーベル平和賞受賞スピーチ（英語）では、この箇所を再度引用して以下のように訴え、閉じていた。

「世界のすべての国の大統領や首相たちに懇願します。核兵器禁止条約に参加し、核による絶滅の脅威を永遠に除去してください。私は十三歳の少女だったときに、くすぶる瓦礫の中に捕えられながら、前に進み続け、光に向かって動き続けました。

そして生き残りました。今、私たちの光は核兵器禁止条約です。この会場にいるすべての皆さんと、これを聞いている世界中のすべての皆さんに対して、広島の廃虚の中で私が聞いた言葉をくり返したいと思います。『あきらめるな！　瓦礫を押し続けろ！　動き続けろ！　光が見えるだろう？　そこに向かってはって行け』　今夜、私たちがオスロの街をたいまつをともして行進するにあたり、核の恐怖の闇夜からお互いを救い出しましょう。どのような障害に直面しようとも、私たちは動き続け、前に進み続け、この光を分かち合い続けます。この光は、この一つの尊い世界が生き続けるための私たちの情熱であり、誓いなのです」。

核兵器廃絶国際キャンペーン（ICAN）

核兵器はなぜつくられたのか。「マンハッタン計画」の下で最初に製造したのはアメリカ合衆国で、その原子爆弾が兵器として使われたのが日本であった。一九四五年八月六日に広島、三日後の九日に長崎、ウランとプルトニウムという異なる爆弾がそれぞれ落とされ「実験」されたのだった。日独伊三国と戦う連合国のうち、莫大な費用を必要とする原子爆弾製造をなし得たのは、自国を戦場としなかったアメリカ合衆国だった。

広島からわずか二十日前の七月十六日、ニューメキシコ州アラモゴードで人類最初のキノコ雲が上がった。原爆実験成功の瞬間、それをつくった物理学者は旧約聖書創世記の「光あれ」を思い出したという。そもそもナチスドイツに対抗して製造開始したにもかかわらず、完成前にドイツは敗戦、日本降伏を協議するポツダムにいたトルーマン大統領に実験成功が知らされたとき、「これで戦争を終結させられる」と語ったという。広島ばかりか長崎（当初の目的地は福岡）までも被爆地となった。なぜ、アメリカ合衆国は核兵器を二度も使用したのか。

二〇〇八年の大統領選挙で合衆国史上初の黒人大統領となったバラク・オバマは、就任直後の二〇〇九年四月に欧州連合との首脳会談のため、チェコの首都プラハを訪問した。そこで「アメリカは世界で唯一核兵器を使用したことのある核保有国として、行動を起こす責任がある」として「核兵器のない世界の平和と安全をめざす」と宣言した。「プラハ演説」と称されたこの演説が、同年末にはオバマにノーベル平和賞をもたらした。★1

ノーベル平和賞受賞後も「核兵器のない世界」になる気配も見えないまま、七年後の二〇一六年五月二十七日、伊勢志摩サミット終了後にオバマ大統領の広島訪問が実現した。平和記念公園で行われた演説には「謝罪」はなかった。大統領最終年ということで、広島訪問に呼応するように、二〇一六年の暮れも押し迫った十二月二十八日（ハワイ時間二十七日）に、安倍首相がハワイ、オアフ島のパール・ハーバーを訪問した。

第一節で説明したように、真珠湾攻撃がすべての出発点となり、ヒロシマ、ナガサキへの原爆投下となった。核兵器を戦争で使用した最初となったわけだが、核兵器を開発し続けている国々に、世界で唯一の被爆国である日本が、積極的に「反戦・反核」を唱えていくべきである。政府レベルではそれがなされていないことは明らかである。

★1 本章第三節「核なき世界」（二〇〇九年）のゆくえ（一五五頁）でも言及した。

すでに紹介したように、民間レベルでヒロシマでのヒバクシャ、日系カナダ人サーロー節子の活動は特筆に値する。核兵器廃絶国際キャンペーンの一員として、積極的に活動し世界中で講演を続けている。

サーロー節子来日（二〇一九年十月）

ノーベル平和賞受賞スピーチから一年余り経った二〇一九年三月に、サーローがフランシス教皇と面会したというニュースが舞い込んだ。バチカンで二十日、NPO「アースキャラバン」が日本から持参した「原爆の残り火」を教皇は受け取り「核の火が永久に燃えることのない平和」に向けて吹き消すことを教皇にお願いしたところ、一息で吹き消したという。

三月にはバチカンを訪問したサーローが、十月末に来日講演することを知ったのは、サーローの自伝を読み終え、本書執筆中の晩夏のことだった。その日を楽しみに待つ間に、「十月二十二日」を迎えた。天皇陛下即位を公に宣明する「即位礼正殿の儀」が行われるため、当年に限り祝日であった。即位した天皇が日本国の内外に即位を宣明する「即位礼正殿の儀」は、即位の礼の中心となる儀式で、諸外国での戴冠式や即位式にあたる。皇居宮殿・正殿松の間で執り行われ、テレビではその中継が続いた。

「即位礼正殿の儀」には各界の代表や外国の元首など、国内外から合わせて一九九九人が参列した。国内から一五七六人、日系人も参列し、このなかに被爆者サーロー節子もいて夕方のニュースでインタビューに応えていた。そのための来日だったと納得した。だが、この儀式参列だけが、サーローの来日目的ではなかった。[★1]

十一月二十三日に、ローマ・カトリック教会のフランシス教皇が来日し、長崎市の爆心地公園に続いて、二十四日には広島市の平和記念公園で開かれた「平和のための集い」でもスピーチをした。「戦争のために原子力を使用することは、現代において、犯罪以外の何ものでもありません」と述べ、原子力の戦争目的の使用と核兵器の所有は「倫理に反します」と強調した。核戦争の脅威による威嚇を批判し「わたしたちは歴史から学ばなければなりません」と訴えたのだった。

この集いの場にサーロー節子はいた。集い終了後、教皇のメッセージを「ひと言ひと言、力強い意味があり、重く突き刺さり、胸に響いた」と語った。核兵器「抑止力」論を真正面から否定したことについて、「非常に勇敢な思いを発表された。私だけでなく核兵器廃絶の運動に関わっているすべての人に素晴らしい勇気と支え、今後も続けていく方向性も示してくれた」と大いに歓迎したのだった。一方、核兵器禁止条約に背を向ける日本政府を「被爆者の訴えにちっとも耳を貸さない」と厳しく批判して、「被爆者の数もだんだん少なくなり、我々の体験の意味を次世代、そして世界に広く知ってもらわなくてはいけない」と力を込め、教皇の発信で核兵器禁止条約の一日も早い発効の後押しになることを期待したという。[★2]

★1　「核兵器所有は倫理に反する―広島ローマ教皇がスピーチ」『しんぶん赤旗電子版』（二〇一九年十一月二十六日）

★2　フランシス教皇は二〇一七年末に、この写真をカードにして世界の教会に配布するよう指示した。カードには教皇の署名と「戦争がもたらすもの」と題したメッセージが添えられた。この写真はアメリカ人のカメラマン、ジョー・オダネルが撮影。被爆直後の長崎ですでに亡くなった弟を背負い、火葬の順番を待っている。

十月二十七日、日曜の午後、青山学院女子短期大学礼拝堂には、あふれるほどの人が集った。落合恵子が代表を務めるクレヨンハウス東京店の主催で、「原発とエネルギーを学ぶ朝の教室」第百十一回が開かれた。特別講演は「核なき未来へ、光に向かって!」と題されたサーロー節子の語りだった。★1 この講演を企画したクレヨンハウスは、以下のようにその主旨を伝えている。

福島第一原発の事故後、わたしたちクレヨンハウスは、これから何を問い直し、何をつくることができるのか考え続けています。そこで、脱原発、自然エネルギーへのシフトを実現していくために、メディアの情報をただ受信するだけでなく、自分たちも学ぼうと考え、連続講座「原発とエネルギーを学ぶ朝の教室」をはじめました。むずかしい原発問題ほか、いま知っておきたいテーマが「やさしく」わかる講座です。クレヨンハウスのスタッフも皆さまと一緒に勉強していきます。ぜひご参加ください。

二〇一七年、核兵器廃絶国際キャンペーン(ICAN)のノーベル平和賞授賞式で、被爆者としてスピーチをしたサーロー節子さん、その力強いことばに、どれほど励まされたでしょう。今回、貴重なご帰国の機会に、サーローさんをお迎えしてお話を伺います。「あきらめるな、光がみえるだろう?」瓦礫の下でサーローさんが聞いた声を道しるべに、わたしたちも前に進んでいきましょう!

★1 キャンセル待ちの電話が止まなかったことを、当日、司会進行をした落合から聞いた。

サーロー節子の自伝を読んだときからなんとか本人に連絡したいと、筆者は広島新聞記者の金崎由美氏へ依頼のメールをしていた。そのお陰で、十月二十七日の講演前にサーロー節子氏に直接メール(彼女は手紙と言ってくれた)を送ることができた。講演終了後、著書に署名をもらうとき、思わず「いつまでもお元気で語り継いでください!」とお願いすると、握手していた手をしっかり握り直して「お互いにね!」と! 思わず、「確かに、本当にその通りです。頑張ります!」と応えたのだった。このとき八十七歳だった彼女の握手の力強さを一生忘れることなく、筆者も語り継いでいこうと決意を新たにした。

核兵器ではないものの、原子力発電所はそのまま核物質を抱え、二〇一一年三月十一日の福島第一原子力発電所の事故は世界中に大きな警鐘を鳴らし、（すでに英語となった）ＦＵＫＵＳＨＩＭＡ周辺の避難住民は筆舌に尽くしがたい苦難の道を歩まざるを得なくなって、すでに九年が過ぎた。

原発事故がもたらした環境破壊を、さらに次節で考えていきたい。ヒロシマ、ナガサキは、フクシマへとつながり、世界中の人たちが日本に注目している。日本人が自らの意見をもたずして、世界への発信はあり得ない。サーローのような一部の人にだけ任せるのではなく、一人ひとりが自分の言葉で発信する国にしていくために、筆者も機会あるごとに「核廃絶への遠い道のり」の講義を続けていく。

第五節　「語り継ぎ」を目撃する

サーロー節子に約束したように、「反戦・反核」を語り継ぐためには、適切なテキストとして、筆者が三十年間講義してきたことを活字に残す必要がある。さらに著者自身が、目撃し続けている世界情勢に対して、教壇で語ってきたことを残す必要があることも自覚した。本節では、三十年間大学の教壇で講義するうえで、教材として用いてきた映像、画像、音源など、耳目に訴えるものをここに活字で残すこととした。★1

今後も教壇で使う予定のものばかりだが、こうした映像、画像、音源にどれだけ支えられ、「百聞は一見にしかず」を受講生、学生たちが実感していったかを確認していくために、本節を「語り継ぎ」を目撃すると題することにした。

地人会朗読劇「この子たちの夏 1945・ヒロシマ ナガサキ」

「マンハッタン計画」の講義で、事実だけを講義するのではなく、「語り継ぎ」を耳目に訴えて学生に届けるようになって久しい。次々と教材が増えている。本節で伝えたサーロー節子の語りはその代表だが、他にも使う教材を五件紹介したい。

一九八五年の初演以来、日本全国で七七八回の公演を行ってきた『この子たちの夏』★2。長年制作の母体であった「演劇制作体 地人会」から二〇一一年に引き継ぎ、(社)国際演劇協会との実行委員会形式で復活した。

唯一の原子爆弾での被爆国である日本。日本人としての経験を記録でなく記憶に留めたいと、構成・演出の木村光一が遺稿や手記、詩歌など膨大な資料のなかから、テーマを「母と子」に絞って朗読劇としてまとめたのが本作品である。母を亡くした子ども、子を失った母たちの書いた手記が中心となっている。普通の生活を送っ

★1　教壇に立って三十年、試行錯誤しながら、「反戦・反核」が著者自身の講義テーマだと気づいたのは、二〇〇三年に出版した『スクリーンに投影されるアメリカ―九月十一日以降のアメリカを考える』を執筆中だった。その書籍が、二〇一九年七月で在庫が少なくなったと知らされたとき、残された大学教員としての講義で「反戦・反核」を受講生に伝えるために、新たなテキストが必要だと判断して、本書出版を決めた。

★2　朗読劇『この子たちの夏』は、一九八五年の初演以来、日本全国で七七八回公演したのだった。

ていた人々の言葉が静かに私たちの心に語りかける一時間四十分の朗読劇。第一部ヒロシマ、第二部 ナガサキ、第三部 その後、という構成である。

死を目前にした子どもたちの言葉。大豆ご飯を食べなかった息子を叱ったまま補習授業へ送り出した母の後悔。自分の目の前、校庭で親兄弟を荼毘に付すという想像もできない体験をせざるを得なかった少年の思い……。朗読される言葉には人を思いやる気持ちや優しさが溢れ、そしてもっと生きたかったという思いが見え隠れしているのである。

その声と想いを次の世代に引き継ぐ公演も、二〇一一年以降、出演者は全員戦後世代になり、戦争を知らない人間が、これからを担う若者たちに伝えていく。体験のない女優が、細かい演出・指導のもと、戦争の疑似体験をし、大切なものは何なのかを身体で受け止めて表現することにより新しい作品としてよみがえった。「生きよう、生き抜こう!」と最期まで明日を夢みて死んでいった子どもたちの、明るく前向きな言葉。あの原爆で命を落とした彼らの死の上にある〝今〟を生きる私たち。夏の一日は、彼らを思い考える日にと思い、毎夏続けているのである。

丸木位里、俊夫妻の「原爆の図 第一部 幽霊」

筆者の本務校は埼玉県下の大学なので、同じ県内にある原爆の悲惨さを訴える美術館を紹介することを忘れない。ドキュメンタリー全編を見せる時間はないので、一枚の絵を見せて、ヒロシマの様子を目に焼き付けることから始めている。

埼玉県東松山市にある丸木美術館で常設展示をしている★1「原爆の図」十四枚のなかから、第一部「幽霊」の映像を数分見せている。丸木美術館のＨＰによれば、「画家の丸木位里・丸木俊夫妻が、共同制作《原爆の図》を、誰でもいつでもここにさえ来れば見ることができるようにという思いを込めて建てた美術館」だそうである。

広島出身の丸木位里は、原爆投下から三日後に広島に入り、俊は一週間後に広島に入った。広島の現状を目の当たりにした二人は、親戚縁者の救援活動をしたという。東京に戻った後、俊は「残留放射能」の影響で肺浸潤を病んだという。それから五年後の一九五〇年に夫妻は共同制作で原爆の図 第一部「幽霊」を発表したのだった。三部作をと考えた「原爆の図」は、結局十五部を数えた。最後に〈長崎〉が描かれた一九八二年までの三十二年間、丸木夫妻は「原爆」を描き続けたのだった。

筆者自身が二〇〇〇年に訪問したことを講義では伝えて、最初の部屋に一枚だけ置かれた大きな大きな「幽霊」の絵の前で動けなくなったこと、涙しか出なかったことなど学生に話す。県内在住者でも丸木美術館のことを知らない学生も多く、夏休みに訪問することを促している。「原爆の図」の説明を読んで、原爆で亡くなった人たちの遺体は太田川沿いに重ねられていたが、九月に入ってやってきた台風で海へ押し流されたとのことだった。

★1 「原爆の図」が常設展示されている埼玉県東松山市にある丸木美術館。

原爆詩人 栗原貞子「生ましめんかな」

サーローが直接会って刺激を受けたというヒロシマの被爆者詩人、栗原貞子の詩（「光に向かって」）を女優、吉永小百合が朗読している。★2 ヒロシマ・ナガサキ、オキナワに続いて、フクシマをめぐる詩も朗読する「語り継ぎ」を続けている。筆者の講義で語りを聴かせるのは、「生ましめんかな」である。

「こわれたビルデングの地下室の夜であった。原子爆弾の負傷者たちはローソク一本ない暗い地下室をうずめていっぱいだった」で始まる。原子爆弾が投下された夜、防空壕に避難していた被爆者の一人が突然産気づき、同じ地下壕内に避難していた一人の産婆が、自らの怪我を省みず無事赤子を取り上げるが、それと引き換えのように命を落としたとの内容の原爆詩である。吉永小百合の語りを映像で見ながら、学生たちは言葉を失い、詩で描かれた情景を自分の頭の中につくる。多くの言葉で原爆投下の説明をするより、学生たちに届くものがあることを毎年痛感する。

サーローが「心に刻まれている作品」として『光に向かって』で全文を紹介したのは、栗原貞子の一九七二年の作品「ヒロシマというとき」である。サーローの言葉で紹介すると「米軍基地を置く日本が戦争放棄をうたう平和憲法をもちながらベトナム戦争の出撃拠点となっていた実体を告発し、戦争における日本の〈加害性〉に思いをめぐらせたのだという」。さらにこの詩を「被爆地の痛烈な自己批判」と断定している。

★2 広島被爆体験者の詩のなかから吉永小百合が選んだ十二篇を収録したアルバム。「生ましめんかな」ほか、子どもたちが書いた詩も収められている。Amazonで購入可能。

CD『第二楽章』朗読・吉永小百合（販売元／ビクターエンタテインメント）

岡本太郎「明日の神話」

日本を代表する芸術家、岡本太郎（一九一一～一九九六）の作品で最も有名なものは、一九七〇年大阪で万国博覧会開催が決まったときに出来上がった「太陽の塔」[★1]だろう。万博終了後も万博会場にそのまま残され、大阪のシンボルとして愛されてすでに半世紀となる。

同時期に制作された作品に「明日の神話」があった。一九六〇年代後半、メキシコを訪問した岡本は、現地のホテル経営者から壁面の制作を依頼された。一九六八年のメキシコオリンピックに向けて、当地に建設中だったホテルのロビーに飾られる壁画であった。ところが、制作依頼者である実業家が破産したため、作品そのものが長く行方不明となってしまったのだった[★2]。

二〇〇三年にメキシコシティ郊外で発見されて帰国し、二〇〇六年に修復が完了して、二〇〇八年十一月に除幕式が行われた。京王井の頭線の連絡通路に巨大なその姿[★3]を残し、道行く人々に「反核」を訴えている。岡本太郎最大の壁画「明日の神話」は、原子爆弾の炸裂の瞬間を描いている。壁画の右下には、第五福竜丸を想像させる漁船がマグロを釣っている箇所がある。となると、真ん中の爆発部分の人体骨格部分は、原爆だけでなく水素爆弾での被爆者とも解釈できる。岡本太郎のいわゆる「パブリック・アート」の頂点は、「太陽の塔」であり「明日の神話」だった。

★1　二〇二〇年三月、文化庁の文化審議会は「太陽の塔」について登録有形文化財にするよう答申した。

★2　大杉浩司『岡本太郎にであう旅：岡本太郎のパブリックアート』（小学館クリエイティブ、二〇一五年）

★3　京王井の頭線のコンコースに設置された「明日の神話」（著者撮影）。

岡本太郎による核兵器（原爆・水爆）をテーマとした作品には、一九五四年に日本の漁船「第五福竜丸」がアメリカの水爆実験で被爆した事件が起こった翌一九五五年の「燃える人」があり、原爆が炸裂する瞬間を描いた激しい構図だった。この水爆実験は、広島・長崎の原爆の恐怖を人々に蘇らせ、原水爆禁止世界大会につながった。第五回原水爆禁止世界大会記念美術展「日本人の記録」は、広島市の広島朝日会館で開催され、太郎の「燃える人」など日本の代表的な芸術家の作品が展示された

同じ一九五五年の作品「瞬間」で、原爆炸裂の瞬間を描きながら「原爆という事実は日本人すべてが引き継がなければならない問題だ」と考えたという。さらに翌五六年に「死の灰」を描いて、水爆への思いは醸成されて「明日の神話」制作に至った。「社会と芸術との従来の閉鎖的な関係を刷新する最高の表現手段」として、岡本は制作を続けたのだった。

核兵器に焼かれた人間を描いた「明日の神話」について、秘書を務めた岡本敏子によれば、「焼かれる骸骨は口を大きく開けて笑っており、人間の誇りとしての怒りを爆発させている姿である」とのことで、こうした反核を主張する壁画は、パブロ・ピカソの反戦壁画「ゲルニカ」を思い出させる。

太郎は作品の意図について、一九六八年一月二十七日付『中国新聞』朝刊のインタビューに答えて「原爆が爆発し世界は混乱するが、人間はその災いと運命を乗り

越え、未来を切り拓いていく、といった気持ちを表現した」と語った。「明日の神話」は、第五福竜丸の悲惨な体験を乗り越え、再生する人々のたくましさを描いた、岡本敏子によれば、「彼の最大にして最高傑作」とのことである。

社会派画家ベン・シャーンの「ラッキードラゴン」

「明日の神話」を岡本太郎が描くきっかけとなったアメリカの水爆実験では、第五福竜丸の乗組員二十三人が被爆した。無線長だった久保山愛吉は「原水爆による犠牲者は、私で最後にしてほしい」との言葉を残して亡くなった。

二十世紀アメリカを代表する社会派画家、ベン・シャーン（一八九八〜一九六九）は、連作絵画「ラッキードラゴン」の一枚で久保山愛吉を描き、その絵のそばに久保山のこの言葉を英語で残したのだった。現在、この絵は福島県立美術館に所蔵されている。「フクシマ」と第五福竜丸の関係、言うまでもなく二〇一一年三月十一日の東日本大震災で起きた福島第一原発事故と、第五福竜丸の水爆被爆は事実としては、残念ながら同じ状況を示す。

福島第一原発事故による放射能の甚大な被害は、原子力が抱える人類規模の問題で、そのことを五十年前に告発した画家が、ベン・シャーンだった。一八九八年にリトアニアのカウナスでユダヤ人の子として生まれた彼の父親は、一九〇二年に政治活動を理由にシベリアに追放された。そのためか、シャーンは生まれ故郷のカウナスから東にある小さな町に移住した後、一九〇六年にニューヨークへ移り、そこで父と再会したのだった。その後、ニューヨークで石版工として働き、大学で学んだ後、画家の道を志した。

不条理を許せなかったベン・シャーンは、その思いを数々の絵に残しているが、その一例を挙げておこう。彼が移り住んだアメリカでは、一九一七年のロシア革命で成立したソビエト連邦の存在を脅威として、反共産主義、すなわちアメリカ社会の主流であるＷＡＳＰ以外を排除しようとする「排外主義」「アメリカニズム」が横行した。

一九二〇年にマサチューセッツ州で、イタリア移民で社会主義者のサッコとバンゼッティという二人の男性が殺人罪で逮捕され、一九二七年に電気椅子で死刑となった。実はこれは冤罪で、五十年後の一九七七年に、五十年後の州知事が謝罪するという一幕があった。ベン・シャーンは、冤罪で死刑となったバンゼッティの手紙をデザイン化して、告発したのだった。その絵に書かれた手紙の文字はこうだった。「善良な製靴工と貧しい魚行商人の命を奪う。その最後の瞬間まで命は自分たちのものだ。断末魔の苦しみこそ我々の勝利だ」と。「サッコとヴァンゼッティ事件」シリーズ（一九三二）は、裁判の経過を淡々とドキュメンタリー風に描いた作品で大反響を呼び、彼の出世作となった。

ベン・シャーンは、彼の絵の中に文字を残すことを繰り返した。第五福竜丸の船員、久保山愛吉について、すでに紹介した以上に長文で紹介している。「私は漁師の久保山愛吉です。一九五四年三月一日、キノコ雲のあがるビキニから八〇マイル離れた海を『ラッキードラゴン（第五福竜丸）』という名の漁船で航海中、私と仲間は被曝しました。私はその年の九月二十三日に死にました」と。

ベン・シャーンの晩年の代表作が、「ラッキードラゴン」シリーズ（一九六〇）である。日本では、二〇〇六年に『ここが家だ：ベン・シャーンの第五福竜丸』★1という タイトルの絵本として出版され、大きな注目を集めた。焼津港を出港した船が漁をする様子、被爆の瞬間、死の灰、久保山愛吉さんの死など、事件の経過が克明に描かれた絵本である。シャーンはその後も連作を描き続け、アメリカでも原子力開発に警鐘を鳴らした。

シャーンは常に社会の不正から目をそらすことなく、貧しい人々、弱い立場の人々の哀しみや痛みを深いまなざしで描き続けた。見る者の心にそっと手を差しのべるような、シャーンの絵が訴えるメッセージをしっかり受け止めたい。

★1 アーサー・ビナード『ここが家だ―ベン・シャーンの第五福竜丸』（集英社、二〇〇六年）

第四章

環境破壊防止のゆくえ

経済活動と地球環境保全を両立できるか

第一節

「不都合な真実」

合衆国からいち早く「地球温暖化」に警鐘を鳴らし、ノーベル平和賞を受賞した人物がいた。クリントン政権での副大統領だったアル・ゴア[★2]である。

彼は学生時代から「地球温暖化問題」に関心をもち、農薬の環境汚染への警告書である『沈黙の春』[★1]の著者レイチェル・カーソンを尊敬していたこともあり、地球温暖化防止への関心を高める運動に精力的に参加した。二〇〇六年には、デイビス・グッゲンハイム監督（『私はマララ』の監督）の地球温暖化に関するドキュメンタリー映画『不都合な真実』[★3]で、環境問題を世界各地で訴える様子が記録された。

★2　Albert Arnold "Al" Gore,Jr.(1948-)

★3　原題は*Silent Spring*。写真は青樹簗一訳『沈黙の春』（二〇〇一年、新潮社）。以下も参照されたい。春・コラム③「『沈黙の春』その後」『スクリーンで旅するアメリカ』（メタ・ブレーン、一九九八年）五八頁。

二〇〇七年第七十九回アカデミー賞の長編ドキュメンタリー映画賞を受賞し、彼の講演や「不都合な真実」での環境啓蒙活動が評価され、IPCCと一緒に二〇〇七年ノーベル平和賞を受賞したのだった。

二〇〇九年十一月三日には、『不都合な真実』の続編『われわれの選択』[★3]を発表した。『不都合な真実』からちょうど十年目の二〇一九年に、世界情勢も大きく変わるなか、ゴアのその後の活動を追った『不都合な真実２――放置された地球』[★4]が公開された。気候変動問題に取り組むアル・ゴア元米国副大統領の活動から、二〇一六年のパリ協定調印までの道のりに焦点が当てられた。温暖化の国際ルールの決議に至ったパリ協定への困難な道筋や、後のトランプ大統領の対策を取り止める動きなど、必ずしも順調には進んでいないその後の地球温暖化に対する彼の「闘い」を、激動する世界の情勢を織り込みながら描いている。

二〇一九年の暮れに、『朝日新聞』が「ルポ２０２０ カナリアの歌」の連載を開始した。「吹き飛ぶ屋根『数十年に一度』何かがおかしい」「元に戻れない地球の分かれ道、若者は動く」などの見出しが目を引く。二人の担当記者の報告の結論は、「世界中が気候危機を実感している。ドミノ倒しのような悪循環に陥り、生存の基盤を失うかもしれない。岐路となる十年が始まる」であった。

同日別紙面で、担当記者が「アル・ゴアさんに聞く」として、ゴア元米副大統領の活動を紹介している。気候危機に立ち向かうリーダーを育てる「クライメート・

★1 原題は ***"An Inconvenient Truth"*** で、同名の書籍とその翻訳版、アル・ゴア著、枝廣淳子訳『不都合な真実』(ランダムハウス講談社、二〇〇七年)がある。

★2 ***"Our Choice : A Plan to Solve the Climate Crisis"***

★3 "An Inconvenient Sequel: Truth to Power"

リアリティ・プロジェクト」を主催し、二〇一九年十月に日本で初めて研修を開いた。お台場の会場には、約八百人の若者が参加した。

日本での研修は、世界十四ヵ国四十四ヵ所目だった。ゴアは「京都議定書では日本がリーダーシップを発揮した印象が強かったので、開催の必要を感じなかったが、日本は変わってしまった。インドネシアやベトナムなどの石炭火力発電所の建設に多額の助成をしている」と批判したのである。

二〇一一年三月十一日以来、原発を止めた日本は、石炭火力発電に再び依存するようになり、二酸化炭素排出量は急増したのだった。本章最後で言及するように、世界中で日本が一番深刻な状況にあることを、先にここで伝えておく。

台風などの気象災害の増加、熱波による健康被害、海面上昇による住居被害など、地球温暖化の影響はすでに顕在化している。ゴアからの提案は以下である。「これからの十年がきわめて重要だ。可能性は高くはないが、気温上昇を一・五度に抑えることは可能だ。我々は達成のためにできる限りの努力をすべきだ」ということである。

二〇一一年三月十一日の福島第一原発事故以来、核兵器ではないものの「フクシマ」と英語で世界中から呼ばれるほど、原発事故がもたらした環境破壊は、解決の道筋さえ見えていない。そんな日本で、原発再開を唱える政治家がいるばかりか、世界中に原子力発電所建設の営業をする首相の状況を、どう解釈すればよいのか。

憂うだけではすまない、由々しき事態である。

ノーベル平和賞が、国際紛争解決や人権擁護活動への貢献ばかりか、二十一世紀にはその対象を環境保護分野にまで拡大した意味と意義の大きさを、世界で唯一の被爆国である日本は、もっと真剣に考えなければならない。市井の人々はもちろん、政治に携わる人間の意識の低さは、そのまま世界からの日本の評価につながる。そうした政治家を選んでいる有権者の責任である。筆者が外国史（アメリカ史）を講義し始めた三十年前は、選挙権は二十歳からだったので、短大生には「二十歳になったら必ず選挙に行く」よう促していた。

二〇一五年六月十九日に公布され、翌二〇一六年同日から施行となった改正公職選挙法は、十八歳選挙権を実現した。すでに教室に座る大学生は全員有権者となった。外国史の講義ばかりか、英語やゼミにおいても、筆者は学生に投票を促している。どの政党、あるいはどの政治家かは自分で決めるべきだが「誰に入れていいかわからない」を繰り返す彼らには、「選挙公報」を読めば政治家の考え方や姿勢がわかるから「ベストがいなければベターを選んで、必ず投票に行きなさい！」と話してきた。

特に女子大生には「先輩たちの血と汗の結晶の選挙権を無駄にしないで！」と力説した。一九四五年十二月に衆議院議員選挙法が改正され、女性の国政参加が認められ、一九四六年四月の衆院選が女性にとって初の投票権行使となった。同年十一月に公布された日本国憲法に参政権が明記され、一九四七年四月の第一回参院選を迎えたことを説明し、市川房枝や加藤シヅエたち「先輩」の長年の努力を伝えてきた。「まずは選挙へ行くことから始まる[★1]」ことは、筆者がつねに学生に伝えてきたことだった。二十一世紀の大きな課題の一つ、環境問題はそのまま政治問題でもある。学生たちが世界のことを考えるとき、目の前の政治を凝視することから始めるのだと伝え続けなければならない。

第二節 「もったいない」精神

『ピース・ウーマン：ノーベル平和賞を受賞した十二人の女性たち[★2]』で紹介した十二人目のワンガリ・マータイ受賞の意義は、環境分野が平和賞受賞対象となった最初だということだった。平和賞の対象は、国際紛争の解決や人権擁護活動への貢献とされてきたが、二十一世紀を迎えた二〇〇一年にはその対象を環境保護分野にまで拡大する考えを示して、二〇〇四年のマータイ受賞時点で平和賞委員会は「一九〇一年創設以来、今年初めて平和の定義を広げ、平和賞の対象を環境分野などにも拡大し、歴史的な節目を迎えた」と発表した。

★1 岩本裕子研究室の以下を参照されたい。【映画コラム #09】『沈黙』と『ハクソー・リッジ』：まずは選挙に行きましょう! http://www.urawa.ac.jp/iwamoto/filmcolumn/hacksaw-ridge.html

★2 本書一二八ページ参照。

ワンガリ・マータイ★1はケニア出身の女性環境保護活動家で、政治家でもあった。アフリカ人女性として史上初のノーベル平和賞を受賞した。ナイロビ大学初の女性教授となった人物で、二〇〇九年十二月に国連平和大使に任命された。

ノーベル平和賞受賞の翌年、二〇〇五年に来日したマータイは「もったいない」という日本語と出会う。彼女が取り組んできた環境保護活動で合い言葉としてきた3R（Reduce, Reuse, Recycle）、つまりゴミ削減、再利用、再資源化ということをたったひと言で表現した「もったいない」は、マータイによって環境を守る世界共通語「ＭＯＴＴＡＩＮＡＩ」として世界に発信されたのだった。マータイの思いは、ケニアをはじめとするアフリカ大陸全土で四千万本を超える植林につながり、植林への参加者は女性を中心に延べ十万人にもなっているという。

二〇一一年九月にマータイは、ケニアの首都ナイロビの病院で卵巣がんのために死去した。ケニアのキバキ大統領は生前の功績を称えて国葬とすることを決め、ナイロビ市内のウフル公園で国葬が行われた。葬儀は「木を使わないで」という遺言に従い、特製の棺に納められガスによる火葬に付されたという。

マータイに続いて、環境問題に向き合った人々がノーベル平和賞を受賞していくことになる。二〇一八年十二月にポーランドで開催されていた第二十四回国連気候変動枠組み条約締約国会議、いわゆるＣＯＰと呼ばれその回数をあとにつけるので、今回はＣＯＰ24となる。地球温暖化対策の国際枠組み「パリ協定」の運用ルールは、

★1　彼女の伝記は日本でも各種出版されている。左は絵本である。『ワンガリ・マータイ「もったいない」を世界へ』（汐文社、二〇一五年）

先進国と途上国が共通ルールの下で実施する道筋を確実にした。一方で、温室効果ガスの排出量が大幅削減に向かわなければ、地球温暖化の被害を防ぐことはできない。各国が削減目標を高めて、対策を強化することを促す明確な合意には至らなかった。

パリ協定採択は二〇一五年のＣＯＰ21で翌年発効したが、半年後の二〇一七年六月トランプ政権の下で合衆国が離脱表明した。「パリ協定」前には、「京都議定書」と呼ばれ、二〇〇五年二月に二〇二〇年までを対象として各国の削減目標を決めていた。京都議定書以降、二〇二〇年以降を対象としたのがパリ協定だった。世界のエネルギー起源の二酸化炭素排出比率は、中国が二八％以上を占めていて、合衆国はＥＵを超えて一五・五％と世界二位となっている。

第三節

「世界トイレの日」[★2]

第二次世界大戦終了から七十年目、日韓関係が最悪になったと言われた二〇一五年九月、国連総会では『我々の世界を変革する――持続可能な開発のための２０３０アジェンダ』[★3]と題する成果文書が採択された。そこで、持続可能な開発

★2 本書一〇六頁ですでに言及済み。本節はさらに詳細な説明を加えた。

★3 (Transforming our world :the 2030 Agenda for Sustainable Development)

目標[★1]として、十七項目の世界的な目標が立てられた。二〇三〇年に向けた具体的行動指針である。

十七項目は、貧困、飢餓、福祉、教育、ジェンダーの平等と続き、第六番目に「安全な水とトイレを世界中に」とある。下水が完備し、ほぼ水洗トイレがあたり前になってきた日本では、二十一世紀現在、トイレに入ると自然に電気がつき、用を足すと勝手に水が流れることが当然になりつつある。こんな時代に、世界全体では約四十五億人の人々が不衛生な設備を利用しており、約八・九億人の人々が屋外排泄をしていると言われる。

このような現状を踏まえて、国際連合が世界中の衛生状況の改善に取り組むべく、世界トイレの日（World Toilet Day）を、毎年十一月十九日に定めた国際デーとした。二〇一一年十一月十九日に世界トイレ機関（World Toilet Organization：WTO）により創設され、二〇一三年に国際連合総会で国際連合公認の国際デーとなった。

国際連合児童基金いわゆるユニセフの、日本ユニセフ協会公式ＨＰ[★2]には、二〇一三年十一月十九日に「世界では、約二十億人がトイレを使うことができません。トイレの問題をみんなで考え、少しでも改善していくためにユニセフ『世界トイレの日』プロジェクトがスタートしました」とある。

そもそも十一月十九日に設定した理由については、ネット検索の域を出ないが、

★1　Sustainable Development Goals: SDGs

★2　https://www.unicef.or.jp/osirase/back2013/1311_03.html

以下のようである。世界のトイレ研究者で、シンガポール・トイレ協会（the Restroom Association of Singapore）創設者のジャック・シムが、「世界トイレ機関」を設立、「世界トイレサミット」が創設されたことに由来するという。創設日が十一月十九日だったため、そのまま「世界トイレの日」になり、国連もその日をもって国際デーとしたようである。

二〇一三年当時で、世界の人口約六十九億人のうち三六％にあたる二十五億人が、トイレが使えなかった。トイレが使えないことは子どもの健康と成長に深刻な影響を及ぼしている。そのために毎日子どもが命を落とし、大人は病気にかかり、成長は鈍化しているとＨＰには記載されている。ユニセフ発表統計によると、安全な水やトイレ、衛生習慣がないことで、五歳未満の子どもたちが下痢を患い、その結果、毎日約千六百人の子どもたちが命を失っているという。

このような世界の現状に我々は何ができるのか、考え続けなければ。

第四節　気候変動への挑戦！

ストックホルム出身の十六歳の高校生、グレタ・トゥーンベリ（Greta Ernman

Thunberg）の、ニュースで伝えられる肩書きは環境保護活動家となっている。二〇一八年八月にスウェーデン国会議事堂前で気候変動問題のために、初めての「学校ストライキ」を行ったことで一躍有名になった。「学校ストライキ」のことを、二〇一九年九月二十一日『朝日新聞』夕刊一面では、キーワードとして扱っている。説明の一部を再録しておく。

気候危機の影響を受けるのは若者だと主張。ＳＮＳで世界に拡散。共感した世界各地の高校生や大学生が「未来のための金曜日」と称して、毎週金曜に授業をボイコットする「学校ストライキ」を始めた。グレタさんは今年のノーベル平和賞の候補になるなど、気候危機への対応を訴える象徴になっている。

ちなみに、この夕刊の大見出しは、「『地球守る』学校スト　響かぬ日本」となっている。九月二十三日にニューヨークで開催される国連気候行動サミットを前に、若者が政治家に気候危機への対策を求める世界一斉デモが二十日、一六三ヵ国・地域で行われたことが伝えられている。主催者によると四百万人以上が参加したという。デモに先駆けて、欧米ではすでにグレタが行動を起こした去年夏から大学生や高校生が授業をボイコットする「学校ストライキ」が続いているが、日本では広がっていないことを、記事は憂いている。

日本でも全くないわけではなく、東京、大阪、名古屋、福岡などでデモが行われた。東京では、渋谷の国連大学前に約二千八百人が集まって行進した。その参加学生たちへのインタビューも記載されているが、デモに参加する意識の高い学生たちに比べて、彼らの友人たち、あるいは大学教員からは理解し賛同してもらえなかったことが伝えられている。

二〇一九年九月二十三日に開催された世界一斉デモの名称は、英語圏ではGLOBAL CLIMATE STRIKEである。各国でその名称はさまざまなようで、日本の場合は「グローバル気候マーチ」と称した。東京でのデモを主宰したのは、グレタの行動に刺激された若者有志が、二〇一九年二月に立ち上げたFRIDAYS FOR FUTURE TOKYO（ＦＦＦＴ）だという。

二〇一九年で十六歳になるグレタが、ストックホルムからニューヨークにある国連本部で開催される気候変動会議に出席するため、二酸化炭素を大量に排出する飛行機を使わず、欧州大陸内は鉄道列車、大西洋は二週間かけてヨットで横断した。九月二十八日、十五日間にわたる四千八百キロの旅を終えてニューヨークに到着した。

到着後のインタビューに応えて、グレタは「自然をめぐる戦争は終わらせなくてはいけない」と語った。「この気候変動との闘いに関わってくれたみんなに（中略）感謝します。これは国境を超え、大陸を超えた闘いだからです」。ブラジルのアマゾン地域で猛威を振るう森林火災について質問されると、グレタは「自然破壊を止

めなくてはいけないというはっきりしたサインだ」と答えたという。[★1]

飛行機利用を止めるという動きは、欧州ではかなり進んできていて、航空会社自らが動き出したとされる。温室効果ガスの削減を狙い、長距離移動の際には飛行機の利用を止め、主に鉄道を使うことを、ＫＬＭオランダ航空が二酸化炭素排出量を削減するためにさまざまな提案を始め、その一つとして、二〇二〇年三月からは、週五便運航のアムステルダム—ブリュッセル間を一便減便するという。ヨーロッパでは環境への影響から、飛行機を利用することは恥だとする「飛び恥（FLYgskam（フリュグスカム）」という言葉も生まれたとニュースは伝える。[★2]

「ＣＯＰ25（第二十五回気候変動枠組条約締約国会議[★3]）」がスペインの首都マドリードで、二〇一九年十二月二日〜十三日まで、約一九〇ヵ国・地域が参加して、開催された。対策の国際枠組み「パリ協定」では、十八世紀の産業革命前からの世界の気温上昇を二度未満に抑え、できれば一・五度未満に留めることを目標としているが、二〇二〇年から「パリ協定」がスタートする前に、運用ルールを決めて取り組みをさらに強化できるかが議論された。

気候変動は、地球に住むすべての人間が行動している結果である。地球を守るための行動は、すべての地球人によって行われなければならないのに、大国の大統領がとんでもない判断を下している。合衆国のトランプ政権は二〇一九年十二月四日、

★1　https://www.bbc.com/japanese/49505896

★2　https://www.business insider.jp/post-200561

★3　略称のCOPとは、Conference of the Parties の略。数字は開催回数を示す（本書一八〇頁でも説明）。

地球温暖化の国際的なルール「パリ協定」からの脱退について、正式な手続きを開始した。実際の離脱は一年後となる。

トランプ大統領はすでに二〇一七年に、パリ協定からの離脱を表明していた。今回の手続き開始によって、米国は二〇二〇年の大統領選挙直後にパリ協定から離脱することになる。トランプ政権はこれまでも、前オバマ政権が打ち出した「クリーンパワー計画」の撤回をはじめ、燃費基準の緩和をめざすなどしてきた。

一九九七年の京都議定書交渉中はクリントン政権が積極的に対応したが、二〇〇一年にブッシュ政権に移行した途端に議定書への不参加を表明したという歴史があった。「歴史は繰り返す」などと言っていられない。目前となった大統領選挙を見据えた行動しかしないトランプ大統領である。悪夢のような登場だった二〇一六年大統領選挙、まさか再選まで保つとは・・・。合衆国で二〇二〇年六月開催予定の主要七ヵ国首脳会議（G7サミット[★4]）では、気候変動については議題に上らない見通しだと、マルバニー首席補佐官代行は語ったという。トランプ大統領は二〇一九年九月の国連気候行動サミットでも短時間出席しただけだった[★5]。

経済産業省資源エネルギー庁HPによれば、二〇一七年の日本の数値を、二〇一〇年と比べると「エネルギー供給の低炭素化」については、七・四％の増加となったという。これは、二〇一一年の東日本大震災後に全国で原子力発電所を停止し、それによって生じた電力不足分を、CO_2排出量の多い火力発電を焚き増す

★4 開催地はメリーランド州キャンプ・デービッドである。FDRの別荘がそのまま大統領の保養地となった。当初、平和への希求を込めて「シャングリラ」（理想郷）と呼んでいたが、アイゼンハワーが実孫デービッドの名をつけ、名称変更した。

★5 https://www.cnn.co.jp/usa/35144882.html

ことで補ったために、エネルギー供給の「排出原単位」（一定量の電気をつくる場合のCO_2排出量）が増加したことも影響しているとしている。

二〇一九年十二月五日、ドイツの環境NGOは、前年一年間に異常気象で世界でもっとも深刻な被害を受けたのは、記録的な豪雨や猛暑に見舞われた日本だったとする分析を発表し、温暖化対策の強化を呼びかけた。世界中で日本が一番深刻！なんと・・・。

グレタ・トゥーンベリの著作が、二〇一九年十一月に翻訳されて店頭に並んだ。グレタと言うより、グレタの家族、母マレーナが中心となり、家族で共同執筆した本である。娘のグレタは、思春期の始まりに環境問題についての映画を観てショックを受け、食事もとれないほどのうつ状態を経たのち、アスペルガー症候群、選択的緘黙（かんもく）症と診断されたという。家族が症状と向き合い、グレタとともに地球温暖化をはじめとする環境問題への意識を高め、行動を起こしていく様子が描かれている。

邦題は『グレタたったひとりのストライキ』★1となっているが、原題は *No One Is Too Small To Make a Difference* で、「変化を起こすのに小さすぎるなんてことはない」という意味だろう。二〇〇三年生まれのグレタが、十五歳だった二〇一八年八月二十日金曜日に初めてストライキをして、その後毎週金曜日に未来のためにストライキを続けた。"Fridays for Future"は世界中の若者たちに賛同され、運動は拡大した。

本書には、初めてのストライキの一ヵ月半後のブリュッセルから始まって、世界

★1　グレタ・トゥーンベリ『グレタ たったひとりのストライキ』（海と月社 二〇一九年）

各地でのグレタのスピーチが掲載されている。ストックホルム、COP24パリ、ダボス、ブリュッセル、ベルリン、ストラスブルグ、ロンドンから出版時点の二〇一九年五月末のウィーンまでの記録だが、グレタのスピーチはまだまだ続くのだった。

ここでは、著作に記録された最後のスピーチ、二〇一九年五月三十一日ウィーンで行われた「グレタの主張」から、一部を伝えて「気候変動への挑戦！」の節を閉じることにしよう。

こんな状況になったのは、私たちの落ち度ではありません。こんな危機を招いたのは、上の世代です。

権力者はあらゆる決断を下す際に、その決断がすべての種が生きる未来の生存環境にとって、生態系にとって、私たちにとって、どんな意味をもつのか熟慮すべきです。

権力者たちは、次の選挙や次の財務報告書のことばかり考えるのをやめるべきです。勇気を出してあまり得をしない居心地の悪い立場に立ち、次の選挙で得票数を伸ばせない恐れのある決断をすべきです。自分のことばかり考えるのをやめて。

原発事故はなぜか春先に…

「フクシマ」と英語名で呼ばれるようになって九年経った二〇二〇年、改めて世界中の原子力発電所で起きた事故に関して振り返ると、妙な共通点に気付く。

まず、人類初の原発事故を起こしたのはアメリカ合衆国ペンシルベニア州の州都ハリスバーグ付近を流れるサスケハナ川の中州にあるスリーマイル島だった。一九七九年三月二十八日に発電所第二号炉で事故が起きて、大量の放射能漏れを引き起こしたのだった。

この事故から七年後の一九八六年四月二十六日、旧ソ連ウクライナ共和国の北辺、チェルノブイリ原発四号炉で原子力発電開発史上最悪の事故が発生した。炉心はメルトダウン後に爆発し、飛散した放射性降下物が広い地域を汚染した。十五万人もの周辺住民は二度と自宅に戻ることはできず、約四千人の除染作業員が被爆したと見られ、七万人以上が被爆したとの指摘もある。

この事故から三十三年目、アメリカの放送局HBO制作の映画ミニシリーズ「チェルノブイリ」は、事実に基づきドラマ化して、二〇一九年五月に放送され、米英を中心に圧倒的な支持を得た。このドラマの人気のために、チェルノブイリ周辺に観光客が急増しているとも…。

新約聖書の最後に「ヨハネの黙示録」という聖典がある。第八章「第七の封印が開かれる」の第十一節に「この星の名は『苦よもぎ』といい、水の三分の一が苦よもぎのように苦くなって、そのために多くの人が死んだ」と記されている。「苦よもぎ」はロシア語で「チェルノブイリ」と言うそうで、原発事故の予言とも噂された。

チェルノブイリ二十五周年直前、フクシマが起こった。三ヵ所の原発事故は、いずれも三月から四月に起こった。奇妙な偶然ながら、事故の被害状況は変わらない。「新型コロナウイルス」がパンデミックになったのも三月。春が近いはずなのに…。

ペンシルベニア州都ハリスバーグでの反核運動。

チェルノブイリ原発(写真上)とスリーマイル島原発（右)。

「三月十一日」を記憶に留める

二〇一一年三月十一日、東日本大震災が起こって以降、メディアでは毎月十一日に、「あれから＊年＊ヵ月」と過ぎた時間を数えるようになっていた。あの朝、大震災が起こる半日前に筆者は『九月十一日』からちょうど九年半経った。今年で十年目だ」と思ったものである。

あの朝から九年経った二〇二〇年三月十一日、メディアは九年間続けた毎年恒例の東日本大震災の被災各地からの中継をしていた。ところが二〇二〇年は特別な空気に包まれ、当面の大問題「新型コロナウイルス」の話題から逃げられない閉塞感に満ちた報道となっていた。

九月が新学年開始月、学年始まりは秋という欧米文化では理解されにくいが、日本では三月は年度末、卒業式シーズンである。二〇一一年も大学では大震災直後に卒業式中止を決定した。二〇二〇年には、あれ以来の卒業式などの式典中止が起こった。

大惨事を目の当たりにして納得せざるを得なかった二〇一一年三月とは異なり、ニュースで新型コロナウイルス感染者数でしか現実を実感できないまま、政府の「要請」通り、多くの国民は自宅待機状態だった。

大地震、大津波という自然災害に対する人間の無力さに、ただうなだれるだけだった九年前とは異なり、人類には英知があるはず、と思わずにはいられない「新型コロナウイルス」への対応である。

場当たり的な保身的「要請」を出す政府に、忖度して従う国民・・・。就学児童をもち仕事をする親には、試練の三月となった。

津波で浸水し火災も発生した仙台市沿岸（写真上）。震災から１週間後の三陸海岸（中）。火葬の限界を超えて一時的に土葬が行われた石巻市（下）。

選挙日は火曜日

二〇二〇年アメリカ大統領選挙に向けた民主党候補者選びで一つの分水嶺となる、十四州が一斉に予備選を行う「スーパーチューズデー」という火曜日が三月三日、日本では雛祭の日に行われた。

共和党は、まさかの再選をねらうトランプ大統領が候補となることで決まりだが、民主党は候補者乱立だった。主要候補とされた四人に急に加わったのが、元ニューヨーク市長で大財閥（METライブビューイングのスポンサー）のマイク・ブルームバーグ（七十八歳）だった。

ゲイを公表した三十八歳と若いピート・ブティジェッジ、一九二〇年の女性参政権獲得からちょうど百年目を迎える今年こそ、女性候補が期待されたエリザベス・ウォーレン上院議員（七十歳）が撤退表明した結果、急進左派のバーニー・サンダース上院議員（七十八歳）と穏健派のジョー・バイデン前副大統領（七十七歳）との一騎打ちの構図が確定したスーパーチューズデーとなった。

本戦となる大統領選挙や連邦議会の選挙は、「十一月第一月曜日の次の火曜日」と百五十年以上前の法律で定められている。法律ができた当時、国民の多くは農業に従事するキリスト教徒で、春から秋の農繁期や教会に行く日曜日には投票に行けなかった。

しかも当時、最も速い交通手段は馬車で、投票所に行くのも一日がかり、途中宿泊の可能性もある有権者もいた。そのため投票日は火曜日となったのだった。現在有権者は、火曜日には仕事や学校があるのだが、インディアナ州やデラウェア州など一部の州や企業のなかには投票日を休日にするところもある。

ネット社会となった二十一世紀においても、火曜日を選挙日とし、天下分け目の「スーパーチューズデー」を守り続けるアメリカ合衆国という国家のあり方が、なんだか愛おしい。さてさて、十一月三日火曜日の大統領選挙の結果はどうなることやら・・・。

二〇二〇年アメリカ大統領選挙日は、日本では「文化の日」である。明治天皇の誕生日だったこの日は、明治期に「天長節」、昭和初期（戦前）は「明治節」という祝日だった。

一九四六年十一月三日に、日本国憲法が公布され、半年後から施行が決まったことが、五月三日を「憲法記念日」とした由縁である。合衆国の選挙日に、日本国憲法の意味を考えたい。

第四部

日本から発信すべきこと

二十世紀末から二十年間の世界と日本の動向を見てきた本書で、最後にすべきことは日本に暮らす我々に何ができるのか、何をしなければならないのかを考えることだろう。戦争や紛争に直接関わることなく七十五年間過ごした日本から、世界に向かって何を発信できるのか、何を発信しなければならないのかを自覚していく。日本が異文化を許容し、多文化共生社会となるために、日本ならではの「発信」を伝えたい。

第一章

第二次世界大戦の「精算」

恥ずべき歴史的過去から目をそむけない

第一節

「市民の自由法（強制収容補償法）」（一九八八）

本書の最終部として、日本のことを考えるうえで、まず日本政府の歴史認識を確認しておく。[★1] 日本では、戦後五十年、六十年、七十年の節目に、政府としての見解を内外に明らかにしてきた。それぞれ「村山談話」「小泉談話」「内閣総理大臣談話」と呼ぶ。戦後七十年目に安倍晋三内閣総理大臣が、冒頭で「日本では、戦後生まれの世代が、今や人口の八割を超えています。あの戦争には何ら関わりのない、私たちの子や孫、そしてその先の世代の子どもたちに、謝罪を続ける宿命を背負わせてはなりません」と発言した。この言葉をどのように受け止めればいいのだろう。「何ら関わりのない」とはどういうことなのか。「謝罪を続ける宿命」とは何なの

★1　https://www.mofa.go.jp/mofaj/area/taisen/qa/　外務省HP「歴史問題Q&A」

か。八割を占める戦後生まれが世界の人々と向き合うとき、自分が生まれる前に祖国がしたことは自分とは無縁なことなのか。「謝罪」すべき当人たちは処刑されたり、死去したりで、ほぼ現在の日本に存在しないが、日本は世界から謝罪を求められている。その謝罪のあり方が不適切だから、ではないのだろうか。

本節では、第二次世界大戦の勝利国アメリカ合衆国の国内問題を例に考えていきたい。アメリカ合衆国は欧州で起こったことに関与せず、西半球の平和を守るというアメリカ外交政策は初代大統領ワシントンからの伝統であった。こうした合衆国を参戦させる契機は、一九四一年十二月七日（ハワイ時間）の日本軍による真珠湾攻撃であった[★2]。

これにより、日米戦争中に強制立ち退きや強制収容所に収容された日本人移民および日系アメリカ人が存在した。アメリカ合衆国の対戦国は日独伊三国であるが、ドイツやイタリアからの移民やその子孫に関して、同様な対応はなされていない。日本人移民、日系アメリカ人に対してのみの対応だった。第二次世界大戦中、十二万三百十三人の日系アメリカ人がアメリカ政府によって強制収容所に送られた。かれらの大半は戦時転住局が管理する十ヵ所の強制収容所に入れられ、残りの人々は司法省やそのほかの政府機関が管理する収容所や拘置所に入れられた。

日米開戦の翌年一九四二年に、アメリカ西海岸とハワイの一部の地域に住む日系

★2　本書、第三部第三章第一節（一四三頁）「真珠湾攻撃という出発点」を参照されたい。

アメリカ人たちは、その七割がアメリカ生まれの二世で市民権をもっていたが、強制的に立ち退きを命ぜられた。何の補償も得られないまま、彼らは家や会社を安値で売り渡さなければならず、なかにはすべての財産を失ってしまった人もいた。

日系アメリカ人が国家の安全保障の脅威になるという口実で、フランクリン・D・ローズベルト大統領は大統領行政命令九〇六六号に署名し、陸軍省に地域を指定して、その地域内のいかなる人にも強制立ち退きを命じる権限を与えたのだった。

一九四五年八月に終戦した後も、日系人たちの状況が元通りになることはなく、困難な道のりが続いた。強制収容所が閉鎖される頃には、日系アメリカ人が戻ってくることに強い警戒心を示した社会も、戦時中の日系人部隊★1の活躍が広く知られるようになったこと、日米関係が急速に改善したこと、何よりも日系アメリカ人の不断の努力で、次第に受け入れは進んでいった。一九六〇年代初めには、日系アメリカ人はおおむねアメリカ社会に「復帰」を果たし、高い教育水準や就業率、高収入、低い犯罪率などで「サクセス・マイノリティ」「モデル・マイノリティ」と呼ばれるようになっていった。

強制収容から四十年後の一九八二年、「戦時市民転住収容に関する委員会」は、「大統領行政命令九〇六六号は軍事的必要性によって正当化できるものではない。改めて歴史的にその原因を探れば、それは人種差別であり、戦時ヒステリーであり、政治指導者の失政だった」と、ようやく結論したのである。

★1　アメリカ合衆国陸軍において、日系アメリカ人のみで編成された部隊「四四二連隊」は、そのモットーをGo for broke!「当たって砕けろ」として欧州戦線を戦い抜いた。

それから六年、一九八八年八月十日、レーガン大統領は「一九八八年市民の自由法（通称、日系アメリカ人補償法：Civil Liberties Act of 1988）」に署名し、アメリカ政府は初めて公式に日系アメリカ人に謝罪し、署名した日に生存している被強制収容者全員に対してそれぞれ二万ドルの補償金を支払った。同時に、二度と同じ過ちを繰り返さないよう、日系アメリカ人の強制収容所体験を全米の学校で教えるため、十二億五千万ドルの教育基金が設立された。[★2]

戦後補償にあたる用語として、リドレス（redress）という耳慣れない言葉が使われた。金銭による補償（reparation/compensation）ではなく「過ちを正す」ことを意味するのである。[★3]

外務省HPにあるように、日本政府の見解として「終戦後、我が国は、関係国との間で、賠償や財産、請求権の問題を一括して処理しましたが、その際、個人の請求権についても併せて処理しました。例えば、サンフランシスコ平和条約では、連合国国民および日本国国民の相手国及びその国民に対する請求権はそれぞれ放棄されています」だったとしても、果たしてそれですむのであろうか。次節からさらに検討していく。

★2　村川庸子『アメリカの戦後補償（リドレス）』（国立歴史民俗博物館編集、二〇一〇年）、特集展示『アメリカに渡った日本人と戦争の時代（図録）』（Japanese Immigrants in the United States and the War Era 2010）

★3　貴堂貴之『移民国家アメリカの歴史』（岩波新書、二〇一八年）一七三、一八三頁。

従軍慰安婦問題――映像「主戦場」を手がかりに

「従軍慰安婦」という言葉がニュースに登場するようになったのは、一九九〇年代に入ってからだろう。一部のジャーナリスト、千田夏光らによって一九七〇年代から活字で紹介されていたが[★1]、日韓両国の問題となったのは一九九〇年代以降だった。終戦五十周年の筆者の講義テーマの一つとしたときにつくった教材では、次のように説明した[★2]。

> 「従軍慰安婦」とは日中戦争（一九三七～四五年）やアジア太平洋戦争（一九四一～四五年）中に、旧日本軍によって「性的慰安」を強制された女性たちのこと。軍事的性奴隷とも呼ばれる。日本の植民地だった朝鮮半島や台湾の女性たち、占領地の中国や東南アジアでも、日本女性にも存在し、総数は少なくとも十万人は下らなかったという。

一九七〇年代にすでに韓国女性から批判は出ていたが、一九八〇年以降韓国の女性学者による調査を経て一九九〇年から運動が始まり、一九九一年に最初に名乗り出た元「慰安婦」の女性の勇気により「戦争における女性への暴力」告発運動が始まった。

★1 千田夏光『従軍慰安婦〈正論〉』（三一書房、一九七八年）
★2 鈴木裕子『朝鮮人従軍慰安婦―証言昭和史の断面』（岩波ブックレットNO.229）

この教材を作成した一九九五年に、「女性のためのアジア平和国民基金」が創設された。第一節で言及した「村山談話」の村山富市元首相が理事長となってつくられた民間基金だった。この基金も、フィリピンや韓国など、対象とする五つの国と地域での「償い事業」が二〇〇七年三月に終了し、解散した。

一方「戦争と女性への暴力」日本ネットワーク（バウネット・ジャパン[★3]）が、一九九八年六月に発足し、「慰安婦」問題で二〇〇〇年に「女性国際戦犯法廷」を提案し、実現した。二〇〇〇年十二月八日〜十二日に東京九段会館で開催され、翌年ビデオも販売された。『沈黙の歴史をやぶって――女性国際戦犯法廷の記録』と題されたそのビデオの説明には、「戦時下の女性に対する暴力の不処罰の歴史を断ち切るため、日本軍性奴隷制の責任者を訴追した民衆法廷」とあった。

この映像も物議を醸したが、あれから二十年経った今まさに物議を醸して映画館での上映が困難になっているドキュメンタリーを、本節では取り上げてみたい。邦題は『主戦場[★4]』だが、監督がミキ・デザキという日系アメリカ人のため、英文タイトルは"SHUSENJO : Main Battleground of The Comfort Women Issue"となっている。二〇一八年製作のドキュメンタリー映画である。

次章第三節で紹介する『ひめゆり』は、DVD化しないことを決めていて、劇場でしか観られないドキュメンタリーだが、『主戦場』の公式プログラムの奥付にも「自

★3 Violence Against Women in War-Network Japan (VAWW-NET Japan) Towards a 21st Century Without War and Violence Against Women in War

★4 『主戦場』"SHUSENJO : Main Battleground of The Comfort Women Issue"

(C) NO MAN PRODUCTIONS LLC

主上映会募集中」と書かれている。二〇一九年四月二十日東京渋谷で単館上映されて以降、十ヵ月目に入った二〇二〇年初頭でも単館で一日一回の上映を続けている。初公開当時の『朝日新聞』での評価は、以下である。★1

> 映画「主戦場」が、慰安婦問題を扱ったドキュメンタリー作品としては異例のヒットとなっている。（中略）公開は全国四十四館に広がる勢いだ。一方で「承諾なく出演させられた。監督にだまされた」として、一部出演者が上映中止を求める事態も起きている。
>
> 映画配給会社「東風」の木下繁貴代表は昨年十月、釜山国際映画祭でこの作品を見た日本人監督から「すごい映画がある」と紹介された。自身も見て「今までの慰安婦問題の映画とは違う。映画について語りたくなり、ほかの人にも見せたいと思った」と感じ、配給を引き受けたという。
>
> 東京の単館公開では満席や立ち見に。上映後には拍手が起き、ツイッターで「いま見るべき」「スピード感や情報量がすごい」「日本のヤバさがわかった」などと感想が投稿された。上映館が広がり、観客は今月（五月）中旬までに、自主制作のドキュメンタリーでヒットとされる三万人を超えるという。

映画「主戦場」公式サイトは、以下のような挑発的な宣伝で始まり、この文章はそのままプログラム三頁の導入に掲載されている。そこでは、「ひっくり返るのは

★1 https://www.asahi.com/articles/DA3S14054971.html

歴史か、それともあなたの常識か」と問いかけられてもいる。

あなたが「ネトウヨ」でもない限り、彼らをひどく憤らせた日系アメリカ人YouTuberのミキ・デザキを、おそらくご存知ないだろう。ネトウヨからの度重なる脅迫にも臆せず、彼らの主張にむしろ好奇心を掻き立てられたデザキは、日本人の多くが「もう蒸し返して欲しくない」と感じている慰安婦問題の渦中に自ら飛び込んでいった。

慰安婦たちは「性奴隷」だったのか？「強制連行」は本当にあったのか？なぜ元慰安婦たちの証言はブレるのか？そして、日本政府の謝罪と法的責任とは……？

次々と浮上する疑問を胸にデザキは、櫻井よしこ（ジャーナリスト）、ケント・ギルバート（弁護士／タレント）、渡辺美奈（「女たちの戦争と平和資料館」事務局長）、吉見義明（歴史学者）など、日・米・韓のこの論争の中心人物たちを訪ね回った。さらに、おびただしい量のニュース映像と記事の検証と分析を織り込み、イデオロギー的にも対立する主張の数々を小気味よく反証させ合いながら、精緻かつスタイリッシュに一本のドキュメンタリーに凝縮していく。そうして完成したのが、映画監督ミキ・デザキのこの驚くべきデビュー作、『主戦場』だ。

映画はこれまで信じられてきたいくつかの「物語」にメスを入れ、いまだ燻り続ける論争の裏に隠された〝あるカラクリ〟を明らかにしていくのだが――それは、本作が必見である理由のごくごく一部に過ぎない。

さて、主戦場へようこそ。

公開から半年遅れた十月一日にポレポレ東中野で本作を観た筆者は、監督自身の客観的な姿勢を大変頼もしく思った。映画タイトルの『主戦場』とは、「従軍慰安婦問題論争」を示している。「論争」そのものをテーマとするので、監督自身の主張によって半ば強引にその結論に導こうとする気配はない。論争の渦中にある賛成派と反対派がそれぞれ個別にデザキ監督のインタビューに答えて、それぞれの主張を展開している。監督の編集によって、まるで反対派と賛成派が対話、議論しているかのようになっている。

日系アメリカ人二世であるデザキ監督は、二〇〇七年に二十四歳でALT（外国人英語等教育補助員）として来日以来、日本とアメリカの差別問題をテーマに映像作品を数多く製作してきた。今回の慰安婦問題については、アメリカでの報道は「二十万人の女性たちが強制的に性奴隷にされていた」に留まっていたため、「論争」があることを知らなかったらしい。この問題に関して調べ始めると、当初考えていたより「はるかに複雑に入り組んだテーマ」だとわかってきたという。

インタビューした人のうち「歴史修正主義者」と呼ばれる人が、「アメリカこそがこの歴史戦の主戦場（main battleground）だ」と言うのを聞いて、「なぜ彼らがそんなにも熱心にアメリカ人を説得しようとしているのか」、アメリカ人として興味をもったことが、このドキュメンタリーのタイトルになったそうである。★1

果たして「アメリカこそがこの歴史戦の主戦場」となり得るのか。ドキュメンタリー映画は、議論の対局にいる人々の意見を紹介しているが、デザキ監督自身の結論を提示したわけではない。考えるのは観客一人ひとりであること、賛成、反対の両者ともに、最終結論を出し得るだけの説得力はないことをこの映像から学んだ。解決しようのない問題に対して、我々自らが自分の立場を明らかにすべき時がきていることも、この映像は教えてくれたはずである。

第三節　徴用工問題

終戦から七十五年目を迎えた二〇二〇年に日本は、従軍慰安婦問題同様、解決が困難な問題に直面している。第二次世界大戦中に日本統治下にあった朝鮮および中国での日本企業の募集や徴用により労働した元労働者およびその遺族による訴訟問

★1　「ミキ・デザキ監督インタビュー」『主戦場』公式プログラム（NO MAN PRODUCTIONS LLC+東風、二〇一九年）。

題が起こった。日本統治下の朝鮮半島出身者が戦時中、労働力として日本内地に動員された問題も含めた、いわゆる「徴用工問題」である。元労働者は奴隷のように扱われたとし、現地の複数の日本企業を相手に多くの人が訴訟を起こした

日韓関係悪化の発端となったのは、二〇一八年十月三十日に韓国の最高裁にあたる大法院が日本製鉄に対し、第二次世界大戦中に同社の前身企業で働いていた韓国人四人に賠償を命じる判決を言い渡したことだった。日本側は判決に対し、「請求権に関する問題は一九六五年の日韓請求権協定で解決済み」と反発して、日韓関係は急速に悪化した。「日韓請求権協定」とは、財産および請求権に関する問題の解決並びに経済協力に関する日本国と大韓民国との間で結ばれた協定で、一九六五年国交正常化の際に締結された日韓基本条約とその関連協定を意味する。

徴用工問題が激化した二〇一九年五月に、早乙女勝元著『徴用工の真実——強制連行から逃れて13年』[★1]が出版された。早乙女の二作品『穴から穴へ13年』と『柳寛順の青い空』を合わせて改題して出版された。一人の元徴用工、劉連仁の記録、加えて「日本軍国主義の犠牲にされた一少女」柳寛順を描いた作品であり、早乙女勝元の立場を明らかにした著作である。

早乙女勝元は「総合あとがき」で、「最初のうちは募集、次いで勧誘となり、やがて強制連行に至る。こうして日本へ連行された中国人は四万人、朝鮮人は八十〜百万人とされるが明らかではない」と記し、賠償訴訟に対する日本政府が解決済み

★1 早乙女勝元『徴用工の真実——強制連行から逃れて13年』(新日本出版社、二〇一九年)の底本となったのは、草の根出版会から発行された同著者の『穴から穴へ13年』(二〇〇〇年)および『柳寛順の青い空』(一九九五年)である。

の立場を強調していることに対して、「個人の請求権までは否定されていないはず」と批判的な立場をとっている。さらに「加害者たる日本の政府が忘れてはならないのは、過去の戦争を誠実に直視し、戦争の傷を今に残す国や人びとへの反省と謝罪ではないのか」とする。

国際社会で日本が生きていくために、当然守るべきことが守られていないという憂いと怒りとも読める早乙女の提案は、このように続く。「真の友好と共生への道を歩むには、なによりも、人間としての道理を欠いてはなるまい」と。本章（第二次世界大戦の「精算」）の題材として、従軍慰安婦問題と徴用工問題を扱ったが、戦後処理（「精算」）を政府間だけで事務的に、経済的に済ませられる問題とそうでない問題があることを、この二つは我々に教えてくれる。「人間としての道理」を忘れない政府でなければ、その国民である我々の存在も軽視されかねない。

これら二つの問題は「未解決」だからこそ議論を呼ぶのである。参考までに『未解決の戦後補償』と題された著作が二冊ある。[★2]二冊目の著作では未解決の課題として以下を挙げている。「従軍慰安婦」「朝鮮人強制連行・強制労働」「中国人強制連行・強制労働」「在外被爆者」「未払い郵便貯金」「日韓会談文書公開」「空襲被害」「沖縄戦・南洋戦」である。本章で対象にした二つ以外にも問題山積で、未解決のまま「臭いものに蓋をする」ような態度でいてはいけない。

二〇一五年、戦後七十年に出版された二作目の「まえがき」は、安倍内閣が提出

★2　田中、中山、有光他『未解決の戦後補償―問われる日本の過去と未来』（創史社、二〇一二年）および同共著の『未解決の戦後補償Ⅱ　戦後70年・残される課題』（創史社、二〇一五年）

したいわゆる「戦争法案」への言及から始まっている。こうした内閣を後押しするかのような日本を取り巻く空気、つまり第二次世界大戦で日本軍が犯した戦争犯罪の事実と責任を否定する、事実を歪めようとする流れ（南京大虐殺、重慶大爆撃など）が生じている日本そのものが危うい、と懸念している。

未解決の戦後補償を問うこと、戦時中日本軍および連合軍によって何が行われたかという事実を明らかにすることは、「再び過ちを繰り返さないという決意の表れ」だと断定する。日韓国交正常化五十年、戦後七十年を数えた二〇一五年からすでに五年、日本人の数感覚にはないが、欧米文化では重要視する数字七十五★1（二十五×三）年目を迎える二〇二〇年、国際社会の一員として、オリンピック・パラリンピックを開催し、世界に平和を呼びかける役目を果たす日本が、自国の「未解決の戦後補償」を決してうやむやにしてはならない。

第一節で議論した「市民の自由法（強制収容補償法）」で行われた「謝罪と補償」を例に、まずは「謝罪」することがもっとも必要である。「真の友好と共生への道を歩むには、なによりも、人間としての道理を欠いてはなるまい」という早乙女の言葉を繰り返すまでもなく、国家間問題であっても、究極は一人ひとりの国民の問題なのだから「人間としての道理」を踏まえる国家でなければならないはずである。

★1　コラム「二十五の倍数で過去を振り返る」一二六頁を参照されたい。

第二章

アイヌとオキナワを考える

日本の先住・少数民族をないがしろにした歴史

第一節 エミシ・エゾとアイヌ

対外戦争での「精算」では、戦後七十五年経っても解決できない現状を見てきたが、日本国内でも同様の長く未解決、あるいは不理解な事項がある。その代表的な一つが、いわゆる「先住民」問題である。島国日本が、陸続きで移民や難民を受け入れる状況ではないこと、地理的な状況を言い訳に、移民や難民を他人事と思っている日本人は多い。

ベーリング海峡が陸続きだったために、アジア大陸からアメリカ大陸へ陸路移動した「先住民」（俗に「インディアン」）同様に、アジア大陸と日本がまだ陸続きだった一万年以上前に大陸から渡ってきた人々が「縄文人」だった。その後、地殻変動が起きて海水面が上昇し、縄文時代には日本の国土は中国大陸と陸続きではなくなり、海に囲まれたようである。海路やってきたのが、「弥生人」である。この人たちが日本人の祖先とされていたが、DNA解析などの人類学の研究が進み、かつては日本人を単純に縄文人と弥生人とに分けていたが、日本人の成り立ちは、「縄文人と弥生人との混血である」ことが明らかになった。

ただ、すべての日本人が混血だということではない。かつて縄文人として、弥生人によって辺境へ追いやられた人たちが、北方へ移住して「エミシ・エゾ」となり、さらに「アイヌ」と呼ばれた。南方へ移住した「オキナワ」については、次節で論じる。この二者に共通することと言えば、経済の基盤が当地を訪問する観光客相手に自分たちの文化を伝える観光事業であることだろう。アメリカ大陸における先住民も同様である。

ヨーロッパにおける先住民、ケルト民族を論じたように[★1]、先住民として周知された存在としては南北アメリカ大陸の先住民が有名だろう。英語では「インディアン」西語で「インディオ」と呼ばれる人々である。南半球ではオーストラリアのアボリジニ（aborigine）と隣国ニュージーランドのマオリ族（Maori）、日本では北にアイヌと蝦夷、南に沖縄の人々が存在する。

本節では、まずアイヌと蝦夷に関して整理しておきたい。蝦夷（えみし、えびす、

★1 第一部第三章第三節の「先住民としてのケルト民族」四七頁を参照されたい。

えぞ）は、大和朝廷から続く歴代の中央政権が、日本列島の東方や、北方などに住む人々を呼んだ名称である。中央政権の支配地域が広がるにつれ、この言葉が指し示す人々および地理的範囲は変化した。近世以降は、北海道・樺太・千島列島・カムチャツカ半島南部にまたがる地域の先住民族のことで、アイヌ語を母語とするアイヌを意味している。

明治政府によって「北海道旧土人保護法」が制定されたのは、一八九九年だった。まさに縄文時代以来の差別感から、アイヌと蝦夷の人々を疎外、排除してきた日本は、近代国家となってやっと、蝦夷を北海道旧土人として日本国民にしたのだった。ただ「土人」という表現は、言葉の意味からは「その土地に住んでいる人」「土着の人」となる。ただ近代世界では、「南洋の土人」と言えば、裸で暮らす非文明的な人間のイメージ、「アフリカ土人」同様に「野蛮」や「未開」を意味することは否定できない。民族の名称「アイヌ」は、「神に対する人間」を意味するアイヌ語である。

「土人」という差別表現が用いられた保護法は、一世紀後の一九九七年に「アイヌ文化の振興並びにアイヌの伝統等に関する知識の普及及び啓発に関する法律」に取って代わって制定、施行された。長い名称の法律は「アイヌ文化振興法」と通称され、アイヌ文化を「自然と共生する文化」と定義した。ところがアイヌを先住民族であることの認定は行わなかった。近代以降一貫して「アイヌ民族の無視」を続けてきた日本に勧告したのは、国連の人権関連機関であった。
国連では、コロンブスが初めてアメリカ大陸に到達した一四九二年からちょうど五百年目にあたる一九九二年を「国際先住民年」と制定するはずが、中南米諸国の反対にあったため一年遅れの一九九三年を「国際先住民年」としたのだった。★1
日本政府に対して数度にわたって勧告を出したが、政府は充分な反応をしなかった。直接的な結果としては、二〇〇七年九月に国連総会において「先住民族の権利に関する国連宣言」が採択された際に、日本政府も賛成したこと、さらにその翌年二〇〇八年七月の北海道洞爺湖サミット開催が時期的な契機となったと言われている。★2
日本政府による長い「アイヌ無視」の状況から、こうした一歩前進した反応に加えて、現在大きな一歩が踏み出されようとしている。二〇二〇年開館の「ウポポイ」★3（UPOPOY）がそれである。ウポポイとは、北海道白老町に建設された国立アイヌ民族博物館、国立民族共生公園（体験型フィールドミュージアム）、慰霊施設などからなるアイヌ文化復興・創造の拠点「民族共生象徴空間」の愛称である。ウポポイは、アイヌ語で「（おおぜいで）歌うこと」を意味する。
二〇二〇年小学校指導要領において「主体的・対話的で深い学び」への授業改善の一つとして「博物館の活用」が挙げられ、社会科／地理歴史科において、アイヌ文化の学習機会が増えることが期待されている。

★1 世界の先住民の情報や国際年決定の経緯などは、以下に詳しい。上村英明『世界と日本の先住民族』（岩波ブックレットNo.281、一九九二年）

★2 児島恭子『エミシ・エゾからアイヌへ』（吉川弘文館、二〇〇九年）

★3 写真は、ウポポイの一角にある国立アイヌ民族博物館。二〇二〇年四月会館予定だったが、コロナ禍のために延期された。https://ainu-upopoy.jp/about/

アイヌと比較して、南方へ追いやられた縄文人たちは、現在の沖縄県の人々を指す。本節でテーマにする二つの年に沖縄県で起こったことを考えるとき、それはオキナワと英語にするしかない。

第二節

一九四五年と一九九五年のオキナワを知る

陸路を北方へ追われたアイヌとは異なり、島国として独立した国家、王国だった歴史をもつ沖縄県は、「琉球国」と呼ばれた。一四二九年から一八七九年までの四百五十年間、琉球諸島を中心に王国として存在したのだった。

琉球国の象徴とも言える首里城。[★4] その入り口の守礼門は十六世紀半ばに建立され、二千円札の図柄にもなっている。その守礼門が守るはずの首里城で二〇一九年十月三十一日未明に火災が発生して、正殿と北殿、南殿が全焼したことは記憶に新しいだろう。

沖縄県で、一九四五年に起こったことから見ていこう。このあとで言及する一九九五年は、終戦五十周年で、筆者にとっては「沖縄と出会った年」、つまり沖

★4 沖縄戦で焼失し、再建された二〇一九年火災前の首里城（二〇一六年撮影）。

縄戦のことを初めて知り、学んだ年であった。[★1] 以来六月二十三日直前講義では、「沖縄戦」の話をするようになった。以下はその概略である。

いわゆる「沖縄戦」とは、「沖縄諸島に上陸したアメリカ軍とイギリス軍を主体とする連合国軍と日本軍との間で行われた戦い」のことだが、国家間戦争に留まらず、沖縄の民衆が米兵と向き合う、あるいは向き合う前の「集団自決」といった悲惨な状況を生み出した戦いであった。筆者の講義で必ず見せるのは、NHKドキュメンタリー（二〇〇五年）「沖縄よみがえる戦場――読谷村民二千五百人が語る地上戦」の最初の九分間である。

一九四五年三月末から、沖縄本島以南の島々に上陸を始めていた連合軍だったが、いよいよ四月一日沖縄本島の中部西海岸へ米軍は上陸を開始した。読谷村では、民衆は米軍上陸と同時に、地元の洞窟に逃げ込んだ。「チビチリガマ」と呼ばれる洞窟に逃げ込んだ住民のうち、生き残った人々の「語り継ぎ」をこのドキュメンタリーは聞かせてくれる。

四月二十四日、日本軍第一線主陣地線（牧港～嘉数～西原～南上原）を突破した米軍は、迎え撃つ第二線の主陣地戦の一つ、前田高地に向かった。前田高地での戦闘は四月二十五日から五月六日まで続き、両軍ならびに付近の住民にすさまじい損害を残した。前田高地は、琉球王朝時代に浦添城という城があった場所で、急峻な崖を北面にもつ天然の要害だった。この急峻な崖をもつ前田高地を、米軍側は「ハ

★1――藤原彰編『沖縄戦――国土が戦場になったとき』（青木書店、一九八七年）

クソーリッジ」（Hacksaw Ridge のこぎりのような尾根）と呼んだ。

それがそのまま映画になったのが、『ハクソーリッジ』★2である。宗教上の理由（セブンスデー・アドヴェンティストというキリスト教の一派）から武器を持たない、闘わない、という条件で「衛生兵」として従軍したデズモンド・ドスという実在の人物が主人公である。この役を演じたのは、『沈黙』の主人公セバスチャン・ロドリゴ神父の役をしたアンドリュー・ガーフィールドだった。

二〇一七年四月の歴史入門の講義では、『ハクソー・リッジ』のチラシを全員に配布した。まず全部読ませて「この戦争映画の舞台は何戦争で、戦場はどこかを確認しなさい」と話したが、受講生はどこが戦場なのかを理解できなかった。舞台は、日本で唯一戦場となった沖縄で、当時の日本政府に「捨石」にされたのだった。沖縄戦の一端が描かれている映画にもかかわらず、日本公開時点のチラシでそのことを強調しないことに疑問をもった。

前田高地から、五月十六日には安里五二高地（シュガーローフ・ヒル）での激戦へと移り、二十二日に日本軍は、南端の摩文仁へ撤退した。一週間後には首里城跡に星条旗が掲揚され、六月十九日には女子学徒隊（ひめゆり隊）の悲劇が起こった。六月二十三日には牛島軍指令官が自決したことで、この日をもって沖縄戦終了とされた。沖縄の領土は、米軍の占領下に置かれたのである。

現在、六月二十三日は、「沖縄慰霊の日」と設定されている。筆者がオキナワの

★2 "Hacksaw Ridge"（バップ、二〇一七年）

講義をするのは、この日の直前と決めている。一九四五年にオキナワで起こったことを疑似体験するために、読谷村の人たちの語り継ぎは貴重である。

こうした経験をしたオキナワの人たちが、一致団結して声を上げることになるのが、五十年後の一九九五年だった。この年九月に、「沖縄米兵少女暴行事件」が起こった。沖縄県に駐留する米軍海兵隊員二名と米海軍軍人一名の計三名が、十二歳の女子小学生を拉致した上、集団強姦した強姦致傷および逮捕監禁事件である。「起訴に至らなければ、関与が明らかでもアメリカ兵の身柄を日本側に引き渡すことができない」という日米地位協定の取り決めによって、実行犯三人が引き渡されず大きな問題になった。この決定に対し、沖縄県民の間に燻っていた反基地感情および反米感情が一気に爆発し、同協定の見直しのみならず、米軍基地の縮小・撤廃要求運動にまで発展する契機となった。

沖縄県民の積もり積もった反基地感情が爆発し、事件の翌月に宜野湾市で開かれた「県民総決起集会」には過去最大規模の八万五千人（主催者発表）が集まって基地縮小と地位協定見直しなどを訴えた。このときの沖縄県知事は大田昌秀で、米軍用地の提供に必要な手続きを拒み、米軍普天間飛行場の返還合意などを引き出した。大田は一九九〇年の知事選で初当選し、二期八年務め、九五年九月の事件では、地主が契約に応じない米軍用地を政府が強制使用するために必要な手続き（知事の代理署名）への協力を拒否し、十月には、「県民総決起大会」に参加して、米軍基地の整理・縮小と米軍人らの容疑者を特別扱いする日米地位協定の改定を求めた。

さらに沖縄県宜野湾市の住宅密集地にある普天間飛行場の危険性を訴え、九六年の日米両政府による返還合意につなげた。本土と沖縄の経済格差の解消も求め、政府から基地を抱える地域を中心にした振興策を引き出した。普天間返還問題で一九九八年、日米両政府が計画していた名護市辺野古沖への移設を拒否して政府との対立を深め、同年秋の知事選で敗れた。後に参院選比例区に社民党から立候補し初当選して一期務め、二〇〇七年に現役を引退した。

知事時代の一九九五年には、沖縄戦などで亡くなった戦没者二十四万人以上の名を日本、米国などの国籍、軍人、文民に関係なく石板に刻んだ★1「平和の礎（いしじ）」を糸満市摩文仁（まぶに）の平和祈念公園内に建設した。

一九四五年と五十年後の一九九五年に起こったことは、決して無縁ではない。日米の沖縄に対する立場の違いは、次の表現で明確だろう。日本にとっては本土上陸を遅らせる時間稼ぎの作戦、つまり「捨て石」、米国にとっては同じ石でも「要石 "Keystone of the Pacific"」だったのである。

一九七二年五月十五日に、沖縄（琉球諸島および大東諸島）の施政権がアメリカ合衆国から日本国に返還され、「沖縄返還」あるいは「沖縄本土復帰」が達成できたのだった。米国占領下にあったときには、沖縄の車両に付くナンバープレートには、"Keystone of the Pacific"と書かれていた。★2

★1 沖縄県糸満市の平和祈念公園内にある「平和の礎」の刻銘版。

★2 全米五〇州及び領土では、ナンバープレートにそれぞれの州や地域のニックネームが書かれている。たとえばニューヨーク州は"Empire State"、カリフォルニア州は"Golden State"、ハワイ州は"Aloha State"など。

沖縄の方言に「いなぐや平和のさちばい」という言葉がある。「女は平和の先駆者」という意味である。一九九五年九月に「沖縄米兵少女暴行事件」が起きたとき、「オール沖縄」で立ち上がったときに、女性たちの先導が大きかったことは言うまでもない。あの大会から四半世紀が過ぎたが、女性たちの熱気が冷めることはないものの、日米のオキナワに対する姿勢が改善することもない。沖縄方言で表現するならば、ウチナンチュー（沖縄の人）は、ヤマトンチュー（本土の人）を決して許すことはできないだろう。

第三節　語り継ぐドキュメンタリー「ひめゆり」と演劇「命どぅ宝」

沖縄戦のことを、生存者たちが語り継ぐTVドキュメンタリーを講義で見せていることはすでに伝えた。本節では、映画館や劇場へ行かないと見ることができない貴重な語り継ぎを紹介したい。

まず、映画館あるいは特別上映会でしか見ることができない長編ドキュメンタリー映画を紹介する。監督の意向で、DVD発売されずレンタルができないもので、観たいという意思のある人からの依頼であれば、学校やコミュニティに貸し出すという手法をとっている。二〇〇六年に柴田昌平監督によって制作されたドキュメンタリー『ひめゆり』である。

二〇〇七年三月二十三日から公開された作品である。太平洋戦争末期の沖縄戦を背景に、従軍看護活動にあたった沖縄師範学校女子部・沖縄県立第一高等女学校の女学生ら、通称「ひめゆり学徒隊」の生存者の証言を基にした、ノンフィクションのドキュメンタリーとなっている。沖縄をめぐっての平和論争とは一線を画し、中立の立場を貫いているという評価を受け、文部科学省選定作品となっている。

ひめゆり学徒隊をモデルとした劇映画は、これまで複数上映されているが、事実の脚色は避けられず、いずれも真実を伝える内容にはならなかった。ひめゆり学徒隊の生存者たちは、ひめゆり平和祈念資料館において、来館者に真実を語り継ぐ活動を続けていた。★1

年月が経つにつれ証言者が減少していく事実を憂い、映像として記録を残す目的で製作されたのが『ひめゆり』だった。証言映像の記録については、ひめゆり平和祈念資料館リニューアルの総合プロデューサー・コーディネーターをしていた柴田昌平監督に託された。生存者の証言採取を主眼に置き、一九九四年から十三年間にわたり撮影を続け、延べ収録時間は百時間を越えたという。映画完成までに三人の証言者が亡くなったとのことである。

★1 二〇一〇年六月に、筆者も観光バス「南部戦跡ツアー」に参加して、その一環で「ひめゆり平和祈念資料館」を訪問した。入館直後に、「少し話していいですか?」と声をかけてくれた女性がいた。大見祥子(さちこ)だった。この出会いについては、拙著『語り継ぐ黒人女性』の「あとがき」一八八～八九頁で触れた。

その内容は三部に分かれていて、「第一章　戦場動員と看護活動」「第二章　南部撤退から解散命令」「第三章　死の彷徨」となっている。学徒隊生存者の証言映像を中心に構成され、記録映像や字幕も交え、時間の経過・戦況・出演者について解説されている。これまで資料館での証言に立っていない人も出演しており、沖縄戦をより多面的に捉えることができる貴重な資料だとの評価を受けている。

筆者は上映が開始された二〇〇七年の沖縄慰霊の日に、『主戦場』も上映した「ポレポレ東中野」でドキュメンタリー『ひめゆり』を観る機会を得た。当日は沖縄慰霊の日のためか、柴田昌平監督が上映終了後のゲストとして参加していた。場内は満席で、熱気と涙にあふれていた。[★1]

『ひめゆり』を今すぐに観ることは不可能だとしても、その雰囲気、一部を垣間見ることは可能である。YouTube という便利な機能はこうしたときには有益である。前頁の脚注で触れた大見祥子（さちこ）が登場するのは、『琉球新報』HPにある「未来に伝える沖縄戦一二一」「砲弾の破片浴び負傷」で、インタビュー当時八十八歳、二〇一四年六月十五日に公開されている。

沖縄戦当時、沖縄陸軍病院の兵器廠の壕で重傷患者の看護をしていた大見祥子だったが、治療班が二週間近く壕に来なくなり、大見は、兵長と一緒に本部壕に連絡に行ったという。そのときの語りである。[★2]画面を見ながら、この映像の四年前にお目にかかった（『ひめゆり』でその証言を観ていたので、初対面とは思えな

★1　公演終了後、直接柴田監督と話をして、大学生たちへ周知するためにチラシを送ってもらう約束をし、この学年のすべてのクラスで『ひめゆり』のチラシを配布できた。毎年慰霊の日近辺で、「ポレポレ東中野」では『ひめゆり』を上映しているはずで、学生には時間をつくって観に行くように説得している。なかには、高校生のときに授業で観たという頼もしい学生に出会うこともある。

★2　https://www.youtube.com/watch?v=7TQTQjDQsUQ (2014.06.15)。

かった）ときと変わらず、背筋を伸ばして、語り継ぐご様子を心強く拝見させていただいた。

丁寧に検索すれば他にも同様の「語り継ぎ」を聴かせてもらえるだろうが、あと一つ紹介しておく。「語り残す戦争の記憶　激戦を生き抜いたひめゆり学徒隊員」と題された島袋淑子の語り継ぎで、大見淑子より一年後のインタビューである。★3 沖縄戦で看護要員として動員され死亡した女学生たち、ひめゆり学徒隊の資料を展示する沖縄県糸満市のひめゆり平和祈念資料館の館長である島袋淑子は、学徒隊の一員として砲弾が降り注ぐ中を生き抜いた命と平和の大切さを訴えている。「優しさと生きていく勇気をもちなさい！」「戦争は絶対だめ！」と、声を大にして語り継いでくれている。

もう一つ劇場へ足を運ばなければ観ることができないのが、演劇である。沖縄方言に「命（ぬち）どぅ宝」という言葉がある。「何をおいても命こそが大切である」という意味である。沖縄戦の際、難民の一人によって叫ばれたとも伝えられる。

沖縄がアメリカの占領下となって五年以上経った一九五〇年代に、伊江島土地闘争のスローガンとして用いられ、さらに一九八〇年代の反戦平和運動のなかで広く普及した言葉である。この言葉をそのまま演劇のタイトルとして、上演されたことがある。二〇一七年二月に池袋の東京芸術劇場シアターウエストで、劇団文化座が上演した。★4

★3　https://www.youtube.com/watch?v=EUAeZWXtVJg（2015.08.04）。

★4　左は、二〇一七年に東京芸術劇場シアターで上演された際のチラシ。

一九五五年三月に始まった米軍の強制接収に対する「島ぐるみ闘争」が燃えさかった一九五〇年代を舞台に、住民を率いて活動した阿波根昌鴻（あはごんしょうこう）、瀬長亀次郎の生きざまを描いた作品である。文化座代表の佐々木愛は二〇一五年の上演の際にインタビューに答えて「過去をひもときながら沖縄が今、何のために闘っているのか正しい理解につながれば」と期待を込めていた。一九四二年に創設された文化座は、これまでたびたび沖縄の歴史や社会をテーマにした演目を上演してきた。「命どぅ宝」は九本目で、創立七十五周年記念の第一弾として上演されたのだった。

物語は、銃剣とブルドーザーで米軍に土地を奪われた農民と一緒に抵抗を続ける阿波根と、米軍からの弾圧を受けながらも民衆の支持を集めていた瀬長が、「島ぐるみで団結すべきだ」と一緒に米軍に立ち向かっていく話である。現在も支持を集め、多くの県民の心に残る二人の圧政に抗する不屈の精神と、弱者側の視点をどのように培ったかを描いている。

物語の場面やセリフなども史実に基づいており、「沖縄の人が見ても恥ずかしくない舞台」と佐々木は自信を語った。自身も生前の瀬長と対談し、演説を聞いたこともあり、「二人の言葉は単純明快で示唆に富む。人々に語りかけて心を動かす、こんなスケールの大きな人たちがいたことを知ってもらいたい」と話した。

基地問題を巡る沖縄の反対運動が、ともすればゆがめられて伝えられている現状に対し、「沖縄の人たちはなぜ座り込むのか。大きな権力に対し、人権や生活、自

然を守るためにずっと抗議し続けていることを、演劇を通して分かってもらいたい」と佐々木は言う。[★1]

佐々木愛は、別のインタビューで、「沖縄の人に見てもらっても絶対大丈夫」という自信作だと語った。さらに沖縄だけでなく「日本、世界が良い方向ではない今こそ原点を見詰めてほしい」との思いが込められている。

主人公である阿波根、瀬長らの重要な発言や物語の展開、場面など、基本的な要素はかなり史実に忠実に描いていることを強調した佐々木は「実際に両氏が語った言葉を知ってほしかった。閉塞(へいそく)した状況から出てきた素晴らしい言葉や二人の人間性を描きたかった」と、その狙いを語った。「沖縄の人たちは、なぜ座るのか」の理由は、主人公の二人の生きざまを通して見えてくるという。米軍という圧倒的な権力や暴力を前に闘う人々が選んだ道は、「非暴力」による抵抗だった。そこに平和への光や希望を見いだした姿を伝えたいという。

佐々木は「この二人は生前、スケールが大きい言葉を人々に投げかけた。そんな言葉をもつ政治家は今の日本には見当たらない。演劇を通して二人の人間性にふれ、平和の原点を見詰め直す機会にしてほしい」とも語っている。[★2]

★1　沖縄タイムス　https://www.okinawatimes.co.jp/articles/-/81943

★2　佐々木代表のこの言葉を読んで、筆者が二〇一七年二月の公演を観に行って、なぜあれだけ号泣したのかが納得できた。主人公の二人が語る言葉の一つひとつが、今の日本に欠けていることと、必要なことなのだと、その力強さが羨ましい、とさえ思ったものである。二〇二〇年五月上演予定だったが、文化座公式HPによれば、コロナ禍のために上演延期を決定したとのことである。https://jisin.jp/region/1597878/

第三章

二十一世紀の日本からできること

わが国の憲法の独自性と被爆国として責務を考える

第一節

日本国憲法の意義「九条」を守る

一九四六年十一月三日に公布され、半年後の五月三日に施行された日本国憲法の第一章は「天皇」で合計八条ある。第二章「戦争の放棄」は一条文のみ、続いて「国民の権利及び義務」を定めた第三章は第一〇条から四〇条までである。いわゆる「九条」というのは、日本国憲法の中でも、国民に言及する前に最初に明記されていることを再確認したい。その全文は以下である。

一、日本国民は、正義と秩序を基調とする国際平和を誠実に希求し、国権の発動たる戦争と、武力による威嚇又は武力の行使は、国際紛争を解決する手

段としては、永久にこれを放棄する。
二、前項の目的を達するため、陸海空軍その他の戦力は、これを保持しない。
国の交戦権は、これを認めない。

しばしば「世界唯一の平和憲法」という解釈がなされているが、それは正確ではない。「戦争放棄」を謳う憲法を有する国は多数存在する。ただ、同時に軍隊を保持しないと決めた国はほぼ存在しないということである。

第二次世界大戦で敗戦して、米国占領下でGHQによってつくられた日本国憲法は、アメリカ合衆国の期待とともに「戦争放棄」を謳い、すでに七十五年が経過する。二〇一九年暮れに日本政府は、積極的に憲法改正を唱えている。歴代最長になった安倍政権に関して、十二月三十日付け『朝日新聞』社説は「有権者がみくびられている」と題している。「戦争なんてあるわけないじゃ〜ん」という若者の声が聞こえるようである。

第二次安倍政権となって七年経ち、合計最長内閣になったわけだが、第一次政権は二〇〇六年九月に発足、一年はもたず翌年八月に健康上の理由で辞任、幕引きした内閣だった。大した成果も上げなかったこの内閣ができたときに、すでに日本の危機を感じた知識人は多かった。★1 大戦中、東条英機首相（当時）率いる内閣閣僚として戦争遂行の一翼を担い、一時は「A級戦犯」容疑者として拘留され戦争犯罪者

★1　季刊誌『季論21』は、第一次安倍政権成立時に日本の現状に危機を感じて創刊したという。以下の投稿依頼を受けたとき、編集者から説明された。岩本裕子「アメリカ映画の『暴力』性――時代を映す『鏡』としてのハリウッド映画」（『季論21』第41号、二〇一八年夏号）

でもあった岸信介は、安倍首相の母方の祖父である。メディアに写る首相の顔の向こうに祖父の顔と二重写しに見えるのは筆者だけだろうか。

第一次安倍政権成立一年前、二〇〇五年七月に「自民党新憲法起草委員会・要綱／第一次素案」が発表され、第二項改め「自衛のために自衛軍を保持する」という案が提示された。この一ヵ月後に『憲法を変えて戦争へ行こうという世の中にしないための十八人の発言』という岩波ブックレットが出版された。「私はこう思う」と十六人が意見を述べ、「子どもたちのだれかが」という詩に絵をつけた二人、さらにコラムや二〇〇五年までの年表「九条をめぐる動き」がつく。[★1]

「テロも北朝鮮も怖いから軍隊がないと不安」「国際貢献するには、お金だけでなく汗を流すことも必要では？」「時代もすごく変わったし、日本人のための憲法を、そろそろつくっても」など、改憲を認めるような一般人の声も列挙されている。

自民党新憲法起草委員会・要綱が出てから、すでに十五年過ぎた。気づいたら憲法が変わっていた、などということがないように、十八歳以上になった有権者一人ひとりが、自らの立場をはっきりさせるべき時がきている。我々日本人一人ひとりの一票にかかっている。政治家が悪いのではない。そんな悪い政治家を選んだ有権者の責任である。「選挙に行ったって、何も変わらないよ」などと考える家庭で育った学生たちに、「パパとママと一緒に投票所へ行きなさい！」と繰り返す筆者である。有権者が政治家に「みくびられる」ようであってはならない。

★1　高校生向けの体験授業を依頼された筆者は「人生の先輩の語り継ぎを聴く」と題して、このブックレットから二人分の「私はこう思う」を教材とした。黒柳徹子と吉永小百合だった。二人の「語り継ぎ」を読み議論した後で、二人が出るドキュメンタリーを見せた。吉永小百合については、被爆詩人栗原貞子の「生ましめんかな」の朗読（本書第三部第三章第五部）を、黒柳徹子に関しては、ユニセフ親善大使として二〇一三年に訪問した南スーダン報告の冒頭部分（第二部第一章第三節）を見せた。

第二節

唯一の被爆国からの発信

「唯一の被爆国」という事実は明確で、その発信例を本書でも多く紹介してきた。その代表がサーロー節子だろう。カナダのトロントで「核兵器廃絶」に向かって全力で活動を続ける彼女からのメッセージを、日本に住む我々は正確に受け止めて、一人ひとりが語り継いでいかなければならない。

「ヒバク」という状態が核兵器だけでなく、「核の平和利用」と言われた原子力発電所の事故によって引き起こされることも、二〇一一年三月十一日に我々は経験した。核兵器使用以外でも、事故による「ヒバク」は起こりうる。「核の平和利用」を、唯一の被爆国である日本が行っていいのだろうか。ましてや、自国の原発を止めているというのに、外国遊説中に原発製造のセールスを行っている現実に、政府の見識を疑ってしまう。福島第一原発事故は、世界中に「フクシマ」[★2]という地名を周知させてしまった。あれだけ大きな原発事故は、フクシマ以前に二十世紀中に二ヵ所で起きている。

まず、一九七九年三月二十八日にアメリカのペンシルベニア州の州都ハリスバーグ周辺を流れるサスケハナ川の中州にスリーマイル島という島がある。この島にある原発第二号炉で事故が起きて、大量の放射能漏れを引き起こした。当時世界最大の原発事故となり、合衆国内でも原発反対運動が活発化した。

★2 「福島第一原子力発電所に残り続けた名もなき人たちを、海外メディアは"Fukushima50"と呼んだ」とキャッチコピーをつけた映画『フクシマフィフティ』が二〇二〇年三月に公開された。

手元に「脱原発の潮流　世界へ」と見出しされた新聞記事「時々刻々」がある。一九九九年三月のもので、「スリーマイル島事故から二十年」と小見出しが付いている。さらに「米国内二十一世紀初めに消滅も」とされ、原発廃止への展望が描かれている。この記事から十七年経った二〇一六年十月には、米国で百基目となる新たな原発が運転を開始したことが伝えられた。テネシー州ワッツバー原子力発電所二号機で、新設原発の稼働は二十年ぶりだった。運転開始翌月の大統領選挙でまさかの大統領が誕生して、「自分さえ良ければいい」風潮は続き、スリーマイル島事故のことなど、すっかりのど元を過ぎたようである。

スリーマイル島事故から七年経った一九八六年四月二十六日、ソ連ウクライナ共和国（当時）のチェルノブイリ原発四号炉は大爆発事故を起こした。★1 あれから三十三年となる二〇一九年末の朝日新聞には、「封印の中　眠る四号炉」と見出しされ、新シェルターの中で眠りについた四号炉の写真が紙面半分を占めていた。事故直後に急造された石棺が老朽化し、移動式では世界最大の構造物となる高さ一〇八メートルの鋼鉄などで造られたドームで封じ込め、今後百年間は安全を保てるのだという。

新シェルターは、欧州連合（ＥＵ）や日本などからの国際援助（費用は約一九〇〇億円）によって完成したという。二〇一九年九月に、第七十一回エミー賞授賞式で、ＨＢＯテレビドラマ『チェルノブイリ』★2 が「リミテッドシリーズ部門・作品賞」を受賞したことで話題を呼び、チェルノブイリ原発の周辺は、多くの観光

★1　当時、世界で最悪の原子力事故と評され、事故後、当該プラントから三〇キロ以内の住民（約十一万六千人）が移住させられ、チェルノブイリはゴーストタウンと化した。

★2　シリーズ五話を収めた写真のブルーレイ版のほかにAmazon Prime Videoでも視聴できる。

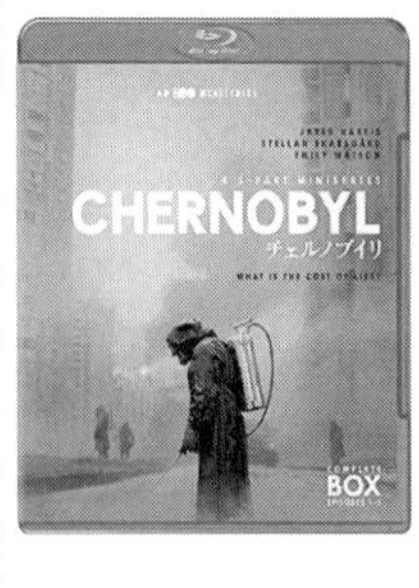

販売元／ワーナー・ブラザース・ホームエンターテイメント

客がツアーで訪れていると紹介されている。ドラマの舞台となった人口五万人の原発城下町プリピャチでは、旧ソ連の生活が残っていて、ソ連崩壊後のウクライナ観光には欠かせない場所となるのだろうか。なんと皮肉なことか・・・。

三十年以上経った日本で、フクシマをそのような観光地にすることはあるのだろうか。ヒロシマもナガサキも、被爆地としての観光地ではなく、それぞれに厳島神社あるいは長崎と天草地方の潜伏キリシタン関連遺産という世界遺産をもち、町の歴史そのものが文化的に高い都市である。唯一の被爆国としての日本が発信するのは、ひたすら「核兵器廃絶」「原子力発電所廃止」でなければならないはずである。

第三節 絵本『戦争なんか大きらい！』

第一節で紹介したブックレット十八人のうちの一人が、絵本作家の木村裕一（きむらゆういち）だった。木村は、第一節で言及した「自民党新憲法起草委員会・要綱／第一次素案」に反対の立場をとる発起人たちと共に「マガジン９」を立ち上げた。要項が出る五ヵ月前の二〇〇五年三月一日に、「マガジン９条」として発足したのだった。公式ＨＰ★3には、「憲法と社会問題を考えるオピニオンウェブマガジン」と説明がつき、

★3 https://maga9.jp/

「問題を抱える当事者や問題意識をもつ人たちが、専門家、研究者、運動家たちとのコミュニティを形成し、『社会変革へのパワー』となる世論をつくり出すプラットホームとなること」をめざしていると明記している。その成り立ちについては、「自民党を中心とした憲法改正の動きが活発にあり、九条や改憲の啓蒙運動を主旨とするウェブマガジンとして立ち上がり」「二〇〇六年にネット上で展開した『マガ9国民投票』は大きな反響を呼び、マスメディアにも取り上げられた」と紹介されている。

各界において、「日本の危機」を感じとった二〇〇五年（終戦六十年）、その動きは止むことなく続いている。「子どもの本・九条の会」は、発足十周年を記念して、絵本『戦争なんか大きらい！』★2を出版した。「誰もが知る絵本作家がそれぞれに描いた平和へのメッセージを一冊に」とキャッチコピーがついた絵本である。「憲法の条文とあわせて読むことで、イメージがさらに広がる」ことが強調されている。

出版した大月書店HP★3に、絵本『戦争なんか大きらい！』出版に至る経緯が次のように説明されている。「二〇〇八年設立。田畑精一、松谷みよ子、小宮山量平ほか、日本を代表する絵本作家・画家や絵本の編集者が参加し、平和へのメッセージを発信する原画展などを開催してきた。二〇一五年に有志による「戦争なんか大きらい！～絵描きたちのメッセージ展」を池袋芸術劇場で開催、その後全国二十七ヵ所を巡回。二〇一八年九月の設立十周年を記念して本書を出版する」と。

絵本に作品を寄稿した絵本作家は総勢六十一人で、六十一通りの平和が描かれて

★2　子どもの本・九条の会『戦争なんか大きらい！　絵描きたちのメッセージ』（大月書店、二〇一八年）

★3　http://www.otsukishoten.co.jp/book/b373072.html

いる。絵画を届けることは難しいので、各自で絵本を手にとってもらうことにして、ここでは五頁に書かれたメッセージから一部紹介しておくことにする。

「子どもたちの未来に危惧を抱く数名の有志からはじまった会ですが、結成十周年を迎える現在は全国に千人を超える会員を有し、年一回のイベントを軸に、学習会や戦争と平和をめぐる本の展示などをしています」。さらに「書籍を出版するにあたって、私たちの人権と平和への願いが込められた日本国憲法の条文をそえて再構成しました。本書を通じて、より多くの方に想いが届きますように」と結んでいる。

奥付の右頁（一一二頁）には、二〇〇八年四月二日に「子どもの本・九条の会」設立時の言葉が再録されている。大西洋にあるスペイン領グランカナリア島には、一九九六年に日本国憲法九条の碑を建てたという。「戦争犠牲者の追悼と平和の祈りを込めて」と刻まれ、この碑が建つ広場は「広島・長崎広場」だそうである。

会の設立時の最後の言葉をそのままここで伝えて、本書を閉じたい。

わたしたちは同じ地球の上に飢えた子がいることを知っています。地雷で足を吹き飛ばされた子がいることを知っています。その惨禍をくりかえしたくない。今改めてわたしたちはこの平和を願う憲法九条の心を世界に届けたい。それとともに一人の市民として、改憲反対の声をあげ、その仲間をふやして、「戦争のできる国」への道を阻みたいと願っています。

二〇二〇年の幕開け

"Tokyo, twenty twenty"の発声によって、二〇二〇年は五十六年ぶりに東京でオリンピック開催という、希望にあふれた年となるはずだった。ところが、二〇一九年末に中国の武漢市での流行が認められた新型コロナウイルスによる肺炎（WHOは「COVID-19」と命名）は、WHOによって「パンデミック（pandemic）」つまり「世界的な大流行」とされ、世界中が危機的な状態になった。

三月十二日に、古代オリンピック発祥の地ギリシャのオリンピア遺跡にあるヘラ（ゼウスの正妻で姉）神殿で、「採火式」が行われ、太陽光線を凹凸鏡に集める伝統的手法で聖火がともされた。二〇〇四年アテネ大会女子マラソン金メダリスト野口みずきが、聖火リレー第二走者として聖火を受け取った。

当初、ギリシャ国内で聖火リレーが行われるはずだったが、有名俳優が走者の一人となるために沿道に多くの人が詰めかけることが危惧され、新型コロナウイルスの危険を考慮して、ギリシャ国内でのリレーは中止となった。

その後、聖火は航空自衛隊松島基地（宮城県）に到着して、二十六日に福島県から日本国内リレーを始めることになっていた。ところが、東京オリンピックの開催延期決定に伴い、国内の聖火リレーも中止された。

「COVID-19」流行を目撃して、これまで人類が闘ってきたウイルスや細菌による「感染症」の歴史をたどってみたい。今回の新型コロナウイルスは、二十一世紀初頭に流行した重症急性呼吸器症候群

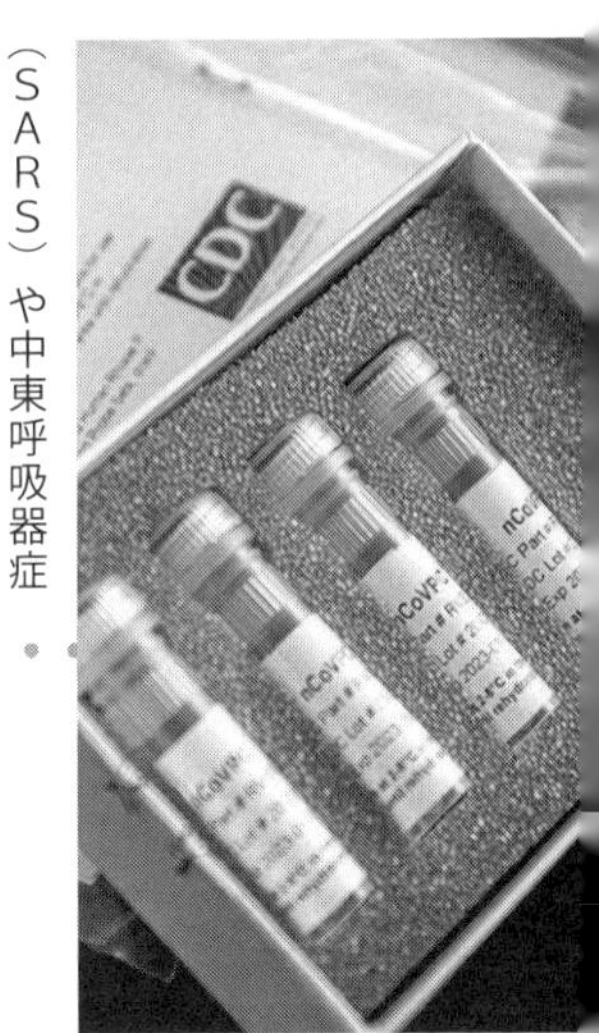

2020年2月6日、アメリカ疾病防管理センター（CDC）は、本ウルスの検査キットを開発し、国内の検査機関に配布をはじめた。

（ＳＡＲＳ）や中東呼吸器症候群（ＭＥＲＳ）のウイルスと共通して、動物由来の「人獣共通感染症」とされる。

一九七〇年代に最初の患者が発見された「エボラ出血熱」の原因だったエボラウイルスも動物由来だった。アフリカで流行を繰り返し、約三万人が感染、一万人以上が死亡した。人と野生動物の接触の機会が増えたことが一因だったとされる。

人類史上、大流行した感染症として有名なのは「ペスト」だろう。十四世紀に流行し、世界で一億人が死亡したとされ、「黒死病」と呼ばれた。十七世紀のイタリアでは「悪性の空気」が感染源と考えられた。十九世紀末、「日本の細菌学の父」北里柴三郎によってペスト菌は発見され、ペスト撲滅に貢献した。

人間が感染するペストで最も多い「腺ペスト」は、ネズミによって媒介される。一三四七年ペスト大流行を受けて、欧州に疫病流入を避ける手段として、ヴェネツィア共和国ではペストの潜伏期間である四十日間、船舶を入港させず、強制的に港外に停泊させた。この日数「四十」をイタリア語では、QUARANTINEと呼んだことが、そのまま現在「検疫」を意味する英語になっている。

パンデミックな感染症では、インフルエンザが代表的で、一九一八年から一九年にかけて、今からちょうど百年前に二千万〜五千万人の死者を出し、「スペインかぜ」と呼ばれた。

第一次世界大戦最中に、米軍兵士の間で流行したインフルが、船で欧州に派遣された兵士を介して広がったのだった。スペインは第一次世界大戦には参戦しなかった国ながら、インフルが最初に認定されたために、この病名になったとされる。

ＷＨＯが今回、「新型コロナウイルス」の公式病名（COVID-19）決定時に地名を入れなかった理由は、後々の影響を配慮して発生年のみ残したのだった。この「スペインかぜ」の名称のため、もともとは米兵によって拡大したインフルが、地名が入るスペインにかかわると誤解しがちなことは気の毒なことである。

当時の世界人口が十八億〜二十億人とされるうち五億人が感染、死者は一億人に及ぶとすれば、二十世紀最大の感染病とされることも不思議ではない。

二十一世紀になって二十年、今回のウイルスは果たして何のために登場してきたのだろうか。その時代的な意味を論じることは、後世に委ねるしかない。

フランス政府は、違反者は処罰という厳しい外出制限を発動した。写真は3月24日、無人のパリの地下鉄駅。
photo：CC BY-SA 4.0

参考文献一覧

［項目別参考文献（絵本、映像を含む）］

【先住民関連】
- 黒田弘子、長野ひろ子編『エスニシティ・ジェンダーからみる日本の歴史』（吉川弘文館、2002年）児島恭子の論考含む
- 児島恭子『エミシ・エゾからアイヌへ』（吉川弘文館、2009年）
- 岡和田晃、マーク・ウィンチェスター編『アイヌ民族否定論に抗する』（河出書房新社、2015年）
- 嬉野京子『戦場が見える島・沖縄 ─ 50年間の取材から─』（新日本出版社、2015年）
- 新崎盛暉『日本にとって沖縄とは何か』（岩波新書 新赤版 1585、岩波書店、2016年）
- 石川文洋『報道カメラマンの課外授業 ─いっしょに考えよう、戦争のこと─ 2 沖縄・戦いはいまも続いている』（童心社、2018年）
- 吉浜 忍、林 博史、吉川 由紀編『沖縄戦を知る事典 ─非体験世代が語り継ぐ─』（吉川弘文館、2019年）

【世界遺産関連】
- こどもくらぶ編集部『教科書に出てくる遺跡と文化財を訪ねる 4:近代日本と新しい日本への歩み─（明治時代以降）／日本の世界遺産─』（あすなろ書房、2019年）
- 古田陽久『世界遺産シリーズ:世界遺産ガイド 日本編 2019 改訂版』（シンクタンクせとうち総合研究機構、2018年）
- 中村俊介『世界遺産 ─理想と現実のはざまで─』（岩波新書、2019年）
- 長崎大学多文化社会学部編『大学的長崎ガイド─こだわりの歩き方─』（昭和堂、2018年）

【オリンピック関連】
- 日本オリンピック委員会監修『近代オリンピック 100年の歩み』（ベースボール・マガジン社、1994年）
- 谷中寿子「オリンピックと黒人コミュニティの解体：1996年アトランタ大会」『日本女子大学英米文学研究─島田法子教授記念論文集』第48巻、2013年3月、pp.19-49.
- 池井優『近代オリンピックのヒーローとヒロイン』（慶應義塾大学出版会、2016年）
- 日本オリンピック・アカデミー監修、岩崎書店編集部企画・編集『3つの東京オリンピックを大研究 1：1940年まぼろしの東京オリンピック』（岩崎書店、2018年）
- 日本オリンピック・アカデミー監修、岩崎書店編集部企画・編集『3つの東京オリンピックを大研究 2：1964年はじめての東京オリンピック』（岩崎書店、2018年）
- 日本オリンピック・アカデミー監修、岩崎書店編集部企画・編集『3つの東京オリンピックを大研究 3：2020年東京オリンピック／パラリンピック』（岩崎書店、2018年）
- 笹川スポーツ財団企画・制作『1964年東京大会を支えた人びと：スポーツ歴史の検証』（新紀元社、2019年）
- 小笠原博毅、山本敦久『やっぱりいらない東京オリンピック』（岩波ブックレット No.993、2019年）

【ユニセフ親善大使関連】
- 黒柳徹子『窓際のトットちゃん』（講談社、1981年）
- 黒柳徹子『窓際のトットちゃん』新組版（講談社文庫、2015年）
- 黒柳徹子『トットちゃんとトットちゃんたち』（講談社、1997年）
- 黒柳徹子『トットちゃんとトットちゃんたち』（講談社青い鳥文庫、2001年）
- 黒柳徹子『トットちゃんとトットちゃんたち：1997-2014』（講談社、2015年）

【マララ・ユスフザイ関連】
- マララ・ユスフザイ、クリスティーナ・ラム（金原瑞人、西田佳子訳）『わたしはマララ：教育のために立ち上がり、タリバンに撃たれた少女』（学研パブリッシング、2013年）
- マララ・ユスフザイ［述］石井光太『ぼくたちはなぜ、学校へ行くのか:マララ・ユスフザイさんの国連演説から考える』（ポプラ社絵本、2013年）
- マララ・ユスフザイ、パトリシア・マコーミック（道傳愛子訳）『マララ：教育のために立ち上がり、世界を変えた少女』（岩崎書店、2014年）
- 宮田律『ナビラとマララ「対テロ戦争」に巻き込まれた二人の少女』（講談社、2017年）
- ローズマリー・マカーニー、ジェン・オールバー 、国際NGOプラン・インターナショナル（西田佳子訳）『わたしは女の子だから 世界を変える夢をあきらめない子どもたち』（西村書店、2019年）
- 「16歳 不屈の少女マララ・ユスフザイ」（NHKクローズアップ現代、2014年1月8日放映）
- デイヴィス・グッゲンハイム監督ドキュメンタリー「わたしはマララ」（原題 He Named Me Malala 2015年劇場公開、本編88分）

【沢田教一関連】
- 青木富貴子『ライカでグッドバイ：カメラマン沢田教一が撃たれた日』（文芸春秋、1981年）
- 沢田教一『沢田教一 ベトナム戦争』（くれせんと社、1989年）
- 沢田教一／撮影『戦場カメラマン沢田教一の眼 －SAWADA KYOICHI AOMORI・VIETNAM・CAMBODIA 1955-1970－』（山川出版社、2015年）

【UNHCR関連】
- 緒方貞子『難民つくらぬ世界へ』（岩波ブックレットNO.393、1996年）
- 緒方貞子講演会記録「難民つくらぬ世界へ―21世紀の課題」（朝日ホール、1995年5月1日）
- 緒方貞子『女性と復興支援―アフガニスタンの現場から－』（岩波ブックレットNo.614、2004年）
- 緒方貞子『私の仕事―国連難民高等弁務官の十年と平和の構築』（草思社、2002年）
- 緒方貞子『私の仕事―国連難民高等弁務官の十年と平和の構築』（朝日文庫、2013年）
- 緒方貞子『紛争と難民―緒方貞子の回想』（集英社、2006年）
- 緒方貞子『共にいきるということ be humane』（PHP研究所、2013年）―NHK・BS　2011年1月27日放送の原稿を元に校正し単行本化「歴史に学び、他者に学び、常に先のことを考える。緒方貞子」「be humane　人間らしさに徹底せよ」「100年インタビュー／国際協力機構（JAICA）理事長・緒方貞子」
- 緒方貞子『聞き書緒方貞子回顧録』（岩波書店、2015年）
- 小山靖史『緒方貞子 戦争が終わらないこの世界で』（NHK出版、2014年）
- 中満泉『危機の現場に立つ』（講談社、2017年）
- アンジェリーナ・ジョリー（中西絵津子訳）『思いは国境を越えて』（産業編集センター、2003年）
- 野上暁『ほんとうにあった戦争と平和の話』（講談社青い鳥文庫、2016年）

【ノーベル平和賞関連】
- 青山薫、石原みき子、松本真紀子『もうひとつのノーベル平和賞：平和を紡ぐ1000人の女性たち』（金曜日、2008年）

- アンゲリーカ・U・ロイッター、アンネ・リュッファー（松野泰子、上浦倫人訳）『ピース・ウーマン：ノーベル平和賞を受賞した12人の女性たち』（英治出版、2009年）
- 池上彰『ノーベル平和賞で世の中がわかる』（マガジンハウス、2012年）
- ワンガリ・マータイ『「もったいない」を世界へ』（汐文社、2015年）

【「武器としての性暴力」関連】

- 米川正子「性的暴力ならぬ『性的テロリズム』～レイプ・サバイバーの治療専門家の闘い～」（2013年）https://iwj.co.jp/wj/open/archives/111385
- 城石裕幸「武器としての性暴力『これは性的なテロリズムなのです!』～コンゴ東部で4万人以上の性暴力被害者を治療するデニ・ムクウェゲ医師が語る『性暴力・鉱物資源：グローバル経済』の関係とは!?」（2016年）https://iwj.co.jp/wj/open/archives/335956
- 秋林こずえ「世界の紛争下における性暴力の課題」Gender Forum,18, pp.65-70（2016年）立教大学ジェンダーフォーラム年報第18号（2017年3月発刊）第68回ジェンダーセッション
- ナディア・ムラド、ジェナ・クラジェスキ（吉井智津訳）『THE LAST GIRL －イスラム国に囚われ、闘い続ける女性の物語』（東洋館出版社、2018年）

【環境問題関連】

- アル・ゴア（枝廣淳子訳）『不都合な真実－切迫する地球温暖化、そして私たちにできること－』（ランダムハウス講談社、2007年）
- アル・ゴア（枝廣淳子訳）『不都合な真実 2』（実業之日本社、2017年）
- 森 朗『異常気象はなぜ増えたのかーゼロからわかる天気のしくみー』（祥伝社新書517、2017年）
- マレーナ・エルンマン／ベアタ・エルンマン／グレタ・トゥーンベリ／スヴァンテ・トゥーンベリ（羽根 由／寺尾 まち子訳）『グレタたったひとりのストライキ』（海と月社、2019年）

【被爆者関連】

- サーロー節子、金崎由美『光に向かって這っていけ －核なき世界を追い求めて－』（岩波書店、2019年）
- 大江健三郎、金井利博『日本の原爆文学 9』（ほるぷ出版、1983年）
  →金井利博『核権力―ヒロシマの告発』（1970年）
- 栗原貞子『栗原貞子全詩篇』（土曜美術社、2005年）
- 栗原貞子『核・天皇・被爆者』（三一書房、1978年）
- 栗原貞子「生ましめんかな」『コレクション戦争と文学 19』（集英社、2011年）
- 栗原貞子「生ましめんかな」『読み聞かせる戦争』（加賀美幸子選、日本ペンクラブ編、光文社、2002年）
- 丸木 位里『流々遍歴 －丸木位里画文集－』（岩波書店、1988年）

【核兵器関連】

- ベン・シャーン絵、アーサー・ビナード構成・文『ここが家だ －ベン・シャーンの第五福竜丸－』（集英社、2006年）
- 岡本太郎作、大杉浩司『岡本太郎にであう旅－岡本太郎のパブリックアート－』（小学館クリエイティブ、2015年）
- 池上彰＋「池上彰緊急スペシャル！」制作チーム『世界から核兵器がなくならない本当の理由』（SB新書、2018年）
- 鈴木達治郎、光岡華子『こんなに恐ろしい核兵器 1 核兵器はこうしてつくられた』（ゆまに書房、2018年）

● 鈴木達治郎、光岡華子『こんなに恐ろしい核兵器 2 核兵器のない世界へ』(ゆまに書房、2019 年)

【戦後謝罪関連】
● 田中、中山、有光他『未解決の戦後補償―問われる日本の過去と未来』(創史社、2012 年)
● 中山、松岡、有光他『未解決の戦後補償Ⅱ 戦後 70 年・残される課題』(創史社、2015 年)
● 鈴木敏明『原爆正当化のアメリカと「従軍慰安婦」謝罪の日本』(展転社、2006 年)
●『月刊 Hanada セレクション　韓国、二つの嘘 徴用工と従軍慰安婦』(飛鳥新社、2019 年 1 月)
● 千田夏光(『従軍慰安婦〈正論〉』(三一書房、1978 年)
● 木村幹「慰安婦言説の転換点: 千田夏光『従軍慰安婦』を中心に」神戸大学『国際協力論集』第 25 巻 第 2 号 (2018 年 1 月、pp.33-58)
● 木村幹「日本における慰安婦認識 : 1970 年代 以前の状況を中心に」、『国際協力論集』25 (1) (2017 年 7 月)
● 木村幹「英語メディアの慰安婦報道と その傾向 : 90 年代初頭の報道を中心に」、『国際協力論集』23 (1) (2015 年 7 月)
● 木村幹「国際紛争化以前の韓国における慰安婦問題を巡る言説状況」、『国際協力論集』22 (2) (2015 年 1 月)
● 木村幹「慰安婦より根深い『徴用工問題』を蒸し返した韓国の裏事情」『iRONNA 産経デジタル』(2017 年 10 月 16 日号)
● 早乙女勝元『徴用工の真実 : 強制連行から逃れて 13 年』(新日本出版社、2019 年)

【反戦・反核関連】
● 井筒和幸他『憲法を変えて戦争へ行こうという世の中にしないための 18 人の発言』(岩波ブックレット No.657、2005 年)
● 子どもの本・九条の会『戦争なんて大きらい!　絵描きたちのメッセージ』(大月書店、2018 年)

【本書関連著者論文および HP コラム】
● 岩本裕子「西洋精神の起源をめぐる一考察:映像に描かれた聖書・神話・伝説」『浦和論叢』第 38 号 (2008 年 3 月、pp.25-47)
● 岩本裕子「大学における英語教育再考 : こども学部英語科目を手がかりに」『浦和論叢』第 41 号 (2009 年 8 月、pp.51-81)
● 岩本裕子「アメリカ映画の『暴力』性 : 時代を映す『鏡』としてのハリウッド映画」(『季論 21』2018 年夏号、pp.170-181)
● 岩本裕子「外国史学習の意味と意義 : 子どもと女性の視点から世界と日本を考える」(『浦和論叢』第 61 号、2019 年 7 月、pp.1-28)

●岩本裕子研究室 : 外国史コラム (連載)、映画コラム (連載)、著作・論文など
(右の QR コードから、浦和大学の岩本裕子研究室のコラムが閲覧可能)

あとがき

一九九〇年、歴史学科の「西洋史各説」という科目名で「アメリカ史」を講義したのが、筆者の大学での歴史講義初年度であった。あれから三十年、そろそろ店仕舞すべき時期に、ここにもう一冊講義のための教科書を出版することになった。

一九八九年、日本は昭和天皇崩御で平成に入り、十一月にはベルリンの壁が崩壊、翌月にはマルタ会談で米ソ冷戦時代が終結した。一九九〇年代に入って欧州だけでなく、世界全体の構造が大きく変化し、長く表面化されなかったマイノリティの宗教や民族の対立で世界を考える必要が出てきた。世界各地で紛争や戦争が起こるなか、女性や子どもが常に犠牲になっていた。

日本国憲法「第九条」によって守られ、戦争をしない一九九〇年の日本は、戦後四十五年目で経済成長ばかりを追求するバブル国になっていた。学生は世界で起こることとは無縁の「暗記する」歴史を学び、「考える」習慣を身につけず、得点獲得の暗記が勉強だと信じていた。

コロンブスが未知の大陸に到着して五百年目の一九九二年から、筆者の前期最終講義では必ず「ヒロシマ・ナガサキ」をテーマに、原子爆弾製造計画（マンハッタン計画）を講義した。合衆国の立場から原爆をつくった経緯、さらに唯一の被爆国日本の立場から、「反核」を講義するようになった。

第二次世界大戦終戦五十年の一九九五年以降、講義テーマは「今を考えるために歴史を学ぶ」ことに焦点を当てた。「歴史とはその時代その時代のニュースの積み重ね」であることを、終戦六十年、七十年と節目を迎えるたびに学生に語り継いだ。

本書は、紀要論文二本（参考文献一覧の最終項目／二〇〇八年＋二〇一九年）を手がかりにしているが、一年かけてほぼ書き下ろしたものである。「目撃者」となった平成から令和に代わる巨大連休の十日間、六年間続けてきた毎年八月のニューヨーク行きをあきらめた夏の一ヵ月間、さらに冬休みを待ちかねて十日間と、二〇一九年度は細切れに書き続けた。

本文の初校修正を終え、二月最終週にコロナ騒ぎがまだ他人事だったニューヨークに出かけ、本書とは全く無縁の科学研究費基礎研究B代表者三年目の研究活動をした。帰国直後、日本よりニューヨークの方が大変なことになり絶句した。卒業式も中止となり閉塞感に満ちた三月は、本書全体の統一に努め、コラムを書いた。三十年間講義してきたことを、ひたすら書き残し続けた一年間だった。

本書は、筆者にとって単著通算七冊目となる。筆者の専門領域である「アメリカ黒人女性史」に関わる二冊以外の四冊は、すべてメタ・ブレーンから出版していただいた。最初の「スクリーン・シリーズ」三冊は、「アメリカ映画から考察するアメリカ社会」と背表紙がついた箱入りの博士論文として国会図書館に収まっている。

四冊目の『語り継ぐ黒人女性』は、難産中の『物語 アメリカ黒人女性史』（明石書店、二〇一三年）の副産物として、あっという間の安産で、二〇一〇年秋、この世に生を受けた。「三月十一日」という大惨事が起こる半年前、今から九年半前のことだった。

公私ともに多忙をきわめた当時、筆者はただ原稿を書くだけで、編集作業はメタ・ブレーンの女性陣に任せっきりだった。『語り継ぐ～』はメタ・ブレーンの高橋英子さんとのコンビによる三冊目だったが、彼女は一昨年の四月四日に急逝され、今回は力をいただけなかった。前述した博士論文の箱の背表紙には、素敵な特殊紙が使われ、知的で優しい文字が打ち出されている。高橋さんのお手製と聞き、納得した。合掌。

二〇二〇年度で勤務三十年目が始まる本務校で、改組・新設された「社会学部現代社会学科」に筆者は二〇二一年度から学内異動する。本書は同学科の社会科教職科目「外国史概説」あるいは「エスニシティ論」の教科書となる。十四年間所属したこども学部の「歴史入門」の教科書だった『スクリーンに投影されるアメリカ』の在庫が少なくなったことも、本書執筆の動機だった。「へえ〜」（ＡＨＡ）と思える瞬間こそが何かを学ぶ醍醐味、暗記するのではなく考えることで、自分自身を探し続けよう！と、これまでの三十年間同様に、残された教壇生活で言い続けていきたい。三十年間の教壇生活を無事に過ごせたことに力をくださったすべての方々、誰よりも教室で出会ったすべての学生たちに感謝しつつ。

「外出自粛」要請の日曜日、吉祥寺拙宅に降る雪をながめながら

二〇二〇年三月

岩本　裕子（ひろこ）

今、問い続けるということ

2020年4月16日　初版第一刷発行

著 者……岩本裕子

発行人……太田順子

発行所……株式会社メタ・ブレーン

出版事業部
東京都渋谷区恵比寿南3-10-14-214
Tel:03-5704-3919／Fax:03-5704-3457
振替口座 00100-8-751102

印刷所……株式会社エデュプレス

ISBN978-4-905239-59-8 C0036　Printed in Japan

装丁●山本まり子
カバーイラスト●平戸孝之
本文DTPサポート●増住一郎デザイン室